강학중 박사의
남편 수업

강학중 박사의 남편 수업

1판 1쇄 인쇄 2019. 7. 24.
1판 1쇄 발행 2019. 7. 29.

지은이 강학중

발행인 고세규
편집 임지숙 | 디자인 홍세연
발행처 김영사

등록 1979년 5월 17일 (제406-2003-036호)
주소 경기도 파주시 문발로 197(문발동) 우편번호 10881
전화 마케팅부 031)955-3100, 편집부 031)955-3200 | 팩스 031)955-3111

값은 뒤표지에 있습니다.
ISBN 978-89-349-9688-0 03190

홈페이지 www.gimmyoung.com   블로그 blog.naver.com/gybook
페이스북 facebook.com/gybooks   이메일 bestbook@gimmyoung.com

좋은 독자가 좋은 책을 만듭니다.
김영사는 독자 여러분의 의견에 항상 귀 기울이고 있습니다.

이 도서의 국립중앙도서관 출판예정도서목록(CIP)은 서지정보유통지원시스템 홈페이지
(http://seoji.nl.go.kr)와 국가자료공동목록시스템(http://www.nl.go.kr/kolisnet)에서
이용하실 수 있습니다.(CIP제어번호 : CIP2019026279)

강학중 박사의

남편
수업

강학중 지음

김영사

들어가는 글

"내년에도 당신 남편이 계속 '남편'으로서 연임하기를 바라십니까?"라고 전국의 기혼 여성들에게 투표를 한다면 연임할 수 있는 남편이 얼마나 될까요?

"내년에도 여러분의 아버지가 계속 '아버지'로서 연임하기를 바랍니까?"라고 자녀들에게 묻는다면 그 자리를 지킬 수 있는 아버지는 또 얼마나 될까요?

'가족학'을 전공하고 가족문제를 예방하는 일을 하고 있는 저도 38년 만에 이런 책을 쓸 수 있는 남편이자 아버지가 되었습니다. '이런 책을 쓴 저자와 함께 사는 부인은 얼마나 행복할까?'라는 생각은 착각입니다. 저 역시 제가 주장하고 가르치는 대로 살려고 열심히 노력하는 남편일 뿐이니까요.

'일과 가정, 두 마리 토끼를 잡기 위해 열심히 노력하는데도 왜 우리 아내는 그렇게 불만이 많은 걸까?', '애들이 해달라는 대로 전부 해주는데도 왜 보이지 않는 벽이 느껴질까?'

이런 고민으로 괴로워하는 이 땅의 남편들과 아버지들을 위해 《강학중 박사의 남편 수업》을 시작했습니다. 그런데 '자식농사를 잘 지으려면 먼저 부부농사에 투자해야 한다', '노후가 행복하려면 부부농사를 잘 지어야 한다'는 믿음이 지난 20년간 가정경영연구소를 운영하면서 더욱 단단해졌습니다. 부부는 가정의 기둥이자 출발점입니다. 덧셈과 뺄셈을 할 줄 알아야 곱셈과 나눗셈이 가능하며 사칙연산을 할 줄 알아야 분수 계산과 인수분해가 가능해지는 이치라고나 할까요? 좋은 아버지가 되려면 먼저 좋은 남편이 되어야 하고, 부모님이나 장인 장모께 효도하기 위해서도 좋은 남편이 되는 것이 먼저라고 믿습니다.

그렇다면 좋은 남편이 되기 위해서는 어떻게 해야 할까요? 안타깝게도 지금껏 그 방법을 가르쳐주는 사람이 없었습니다. 좋은 아버지가 되기 위한 방법도 마찬가지고요. 남편 역할은 시대에 따라, 결혼 지속 연수에 따라 변합니다. 그래서 남편 노릇이 더욱 어렵지요. 세상이 바뀌고 아내들의 요구 또한 점점 강해져, 결혼만 하면 될 수 있었던 '남편' 역할에 대해서도 이제 고민해야 합니다.

서울가정법원의 조정위원으로 이혼 소송을 맡다보면 안타

까운 부부들을 참 많이 만납니다. 이혼으로 가기 전에 문제를 지혜롭게 풀 수 있는데도 방법을 몰라 엄청난 대가를 치릅니다. 연구소를 찾는 부부들도 해결 방법을 찾지만 무엇부터 해야 하는지 잘 모르고요.

그래서 바람직한 남편의 역할은 무엇이고, 부부문제는 어떻게 풀어나가야 하는지에 대해서 책을 썼습니다. 가정에서 정말 중요한 것이 무엇인지 깨닫는다면 삶의 방향이 달라집니다. 부부 사이가 왜 이렇게 꼬이고 악화되는지 원인을 찾는다면 문제의 실마리가 풀리지요. 책에 등장하는 다양한 사례와 아이디어를 참고삼아 우리 가족만의 가족전략을 수립해보십시오. 부부가 더욱 행복해지는 계기가 될 겁니다.

이 책은 비단 결혼한 남성들뿐만 아니라 결혼을 생각하거나 결혼식을 앞둔 예비 남편, 신혼부부에게도 큰 도움이 됩니다. 책에 소개된 방법을 무리하게 밀어붙이지 말고 잘 소화해서 우리 부부, 우리 가족에게 효과적인 방법을 찾으셔야 합니다. 문제가 굳어지거나 심각해지기 전에 공부하고 준비하면 효과가 훨씬 뛰어납니다. 사소한 나의 변화가 '잔물결 효과'를 일으켜 우리 가정에 행복을 가져다줍니다. 아내를 뜯어고치려고 하지 말고 '나부터' 변화해야 아내도 변한다는 사실을 명심하십시오.

얼마 전, 이 책이 나온다고 하니까 친구 아내가 대뜸 "우리 남편부터 읽어보라고 해야겠다"고 하더군요. 하지만 그것은 제가 원하는 바가 아닙니다. 남편을 닦달하고 변화시키는 수단으로 남용하면 부작용이 생깁니다. 이 책을 먼저 읽은 아내의 달라진 모습을 보고 남편 스스로 변화한다면 금상첨화겠지요. '남편 수업'은 입장만 바꿔 생각하면 '아내 수업'이 됩니다. 책을 읽으면서 아내인 내가 할 수 있는 일, 내가 해야 할 일을 찾아 '나부터' 실행에 옮긴다면 남편과의 '관계'가 바뀌고 마침내는 남편도 변합니다.

40년 가까이 제 옆에서 인내하고 격려하며 때로는 잔소리로, 오늘의 저를 있게 한 아내에게 감사함을 전합니다. 이제는 어엿한 가정을 이루어 별일 없이 잘 살고 있는 딸아이와 사위, 아들과 며느리 그리고 매일매일 큰 기쁨을 안겨주는 봄이와 곧 태어날 윤슬이에게도 사랑을 보냅니다. 한결같이 막내동생을 챙겨주고 믿어주신 큰형님, 작은형님 고맙습니다. 그리고 반듯한 책 한 권이 나오기까지 따뜻하고 섬세한 눈으로 길을 안내해주신 임지숙 과장님과 김윤경 주간님께도 감사 인사를 드립니다.

2019년 여름
중미산 자락 정배리에서
강학중

2장
부부농사

3장　　　　　　　　　자식농사

4장 가정에서의 대화

5장　나의 삶

1장

남자의 삶

1
한국 남자의 자화상

노후가 막막한 40대 K씨

K씨는 남들이 부러워하는 일류대를 나와 대기업에 들어간 뒤 승승장구했다. 그러나 임원 승진을 눈앞에 두고 번번이 쓴 잔을 마셨다. 이러다 승진은 고사하고 이 자리에서도 오래 있지 못하고 '잘리는' 게 아닌가 겁이 났다. 이제 40대 후반, 아내와 맞벌이로 열심히 벌어도 고등학생인 아들과 딸 교육비 대기가 벅찼다. 그런데 어머니마저 병환으로 입원해 병원비에다 적지 않은 간병비까지 대야 하니 요즘은 자신의 노후를 저당 잡힌 기분이다. 앞으로 자기 살기도 벅찰 아이들에게 노년을 책임져 달라고 할 수도 없고 병든 어머니 또한 외면할 수 없는, '낀 세대'의 애환이라고 해야 할까?

가족과 함께 식사를 하고 대화를 나누면서 힘을 얻고 싶지만 다들 눈 마주칠 틈도 없이 각자 바쁘다. 일이 많은 아내와는 요즘 얼굴 볼 시간도 없고 잠자리를 가진 적이 언제인지 기억조차 나질 않는다. '왜 이렇게 살아야 하지? 내가 이제껏 무엇을 위해 달려왔지?'라는 질문만 혼자 되뇌곤 한다. 백세 시대라고들 하는데 K씨는 앞으로의 인생 2막과 3막이 막막하기만 하다.

현실의 벽에 부딪친 결혼 2년차 38세 L씨

결혼 2년차인 38세 L씨는 요즘 심각한 고민에 빠졌다. '이 여자가 내가 그토록 사랑했던 사람이 맞나?' 싶었다. 거울에 왜 이렇게 치약이 튀었느냐, 양치질 좀 바로 해라, 소변보면서 오줌은 왜 이렇게 흘리느냐, 정리정돈은 왜 제대로 안 하느냐, 제발 좀 씻어라, 이는 왜 안 닦고 자느냐, 이렇게 더러운 사람인 줄 알았으면 절대 결혼 안 했다……. 따라다니면서 사사건건 잔소리를 해대는 통에 미칠 것만 같았다. '우린 정말 안 맞는 부부인데 마지못해 억지로 사는 건 아닐까, 아이가 생기기 전에 이혼하는 게 현명한 거 아닐까?' 그런 생각들로 잠을 이룰 수가 없었다. 하루에도 수십 번 심각하게 고민을 하게 되니 상담을 받아야 하는 건 아닌가 싶었다.

며칠 전엔 "왜 생수 병에 입을 대고 마시느냐?", "나 입 댄적 없다", 이렇게 어이없는 문제로 아내와 대판 싸운 뒤 각방을 쓰고 있다. 그날 이후 자신을 거의 투명인간 취급하는 아내가 요즘은 무섭기까지 하다. '이 여자가 이렇게 독한 사람이었구나. 겨우 생수 마시는 거 가지고 사람을 이렇게 닦달하는 여자라면 정말 심각한 문제가 생길 땐 뒤도 안 돌아보고 이혼하겠네'라는 생각이 들었다. 다른 친구들이 집을 산다, 애들 초등학교에 보낸다, 소식을 전할 때면 한숨만 나왔다. 30대 중반에 결혼해서 모든 게 남보다 늦은데 벌써 이혼을 고민하고 있다니, 애 낳아서 키우고 내 집 마련하는 일이 과연 가능하기나 할까, 앞이 캄캄했다.

갑자기 직장을 잃게 된 50대 A씨

50대 초반인 A씨는 평생을 일, 일, 일이 전부인 줄 알고 앞만 보고 달려왔다. 열심히 일한 만큼 회사에서도 인정을 받아 승진이 빨랐다. 회사도 나날이 커지고 직원도 늘었다.

하지만 회사가 무리한 자금 조달과 기업 인수를 감행하고 전혀 경험도 없는 신규사업에 손을 댄 게 화근이었다. 어느 날 회사의 구조조정으로 A씨는 한순간에 밀려나고 말았다. 하늘이 무너지는 것 같았다. 청춘을 몽땅 바쳐 일한 회사였는데 분하고 억울해서 잠이 오질 않았다.

20년 넘게 거의 매일 눈만 뜨면 회사로 출근했는데, 출근할데가 없다는 사실이 충격으로 다가왔다. 퇴직한 지 1년이 다되어 자가용 기사라도 해볼까 싶어 알아봤지만 나이가 많다고번번이 퇴짜를 맞았다. 이력서를 십여 군데나 내봤지만 오라는 데는 모두 영업직이고 그마저도 본봉 없는 능력급이었다.

그런데 더 기가 막힌 일은 가족들로부터도 외면을 당하게된 것이다. 한평생 식구들 먹여 살리기 위해 그렇게 기를 쓰고 일만 해왔는데, 슬슬 눈치를 보던 아내가 한 달쯤 지나니대놓고 바가지를 긁었다. 그동안의 노고에 감사나 위로를 건네기는커녕 남편을 천하의 좁쌀영감, 잔소리꾼이라며 구박했다. 분한 마음을 달랠 길이 술밖에 없는데, 그런 자신을 매일술 마시고 주정이나 하는 알코올중독자로 몰아붙이는 데는어이가 없을 뿐이었다. A씨는 어디 하소연할 데라도 있다면소리치고 싶었다.

"아니, 평생 가족을 위해 열심히 돈 벌어다 주고 20년 청춘다 바쳐 희생하며 살았는데, 내가 왜 이제 와서 이런 대접을받아야 합니까? 내가 뭘 잘못했습니까? 이런 푸대접이나 받자고 그렇게 소처럼 일만 하며 살아왔는지 기가 막히네요. 가족들만큼은 날 이해하고 따뜻하게 대해줄 줄 알았는데 정말억장이 무너집니다. 이제 난 뭘 어떻게 해야 하죠? 세월을 거꾸로 돌릴 수도 없고……."

한국 남성들의 자화상이다. 바쁘고 분주하게 뛰어다니지만 부부 둘만의 시간이나 가족과 함께하는 시간을 내기가 어렵다. 이메일과 문자 메시지, 카톡, 페이스북 등 방법은 많지만, 문득 마음이 허전해서 연락이라도 해볼까 해도 떠오르는 사람이 없다. 과잉 네트워크의 허상인 셈이다. 열심히 일해서 좋은 차, 넓은 집을 샀지만 즐겁고 기쁜 건 잠시고 또다시 다람쥐 쳇바퀴 돌듯이 뛰어야 하는 삶에 지친다. 고달픈 하루하루를 달래보려고 술 한잔하고 넥타이 풀어 이마에 동여매고 혁대로 노를 저어보지만 해방감은 술에 취했을 때뿐, 술이 깨고 나면 무거운 일상이 자신을 더 무겁게 짓누른다. 늦게 들어오는 남편을 아내가 기다리는 건 옛날 일이고 자신을 반갑게 맞는 건 개밖에 없다.

조금 일찍 귀가해서 가정적인 남편, 다정한 아빠가 되면 가족들이 날 반겨주겠지, 했다. 하지만 일찍 귀가해도 아이들은 자기 방에서 나와 보지도 않고 인사도 하는 둥 마는 둥이다. 그저 용돈 탈 때 말고는 아빠에게 관심조차 없다. 말도 안 듣고 엄마와 한편이 되어 자신만 따돌리는 것 같아 서러운데 뭐라고 얘기할 수도 없고. 아내는 자기도 돈 번다고 또 얼마나 목소리가 큰지…….

노안이 와서 돋보기를 써야만 하는 자신을 받아들이기도 어렵다. 하룻밤 새는 것은 끄떡없었는데 요즘은 하루만 야근을 해도 다음 날 영 기운을 차릴 수가 없다. 무릎도 시원치 않아 바닥에 앉았다가 일어서려면 아이구구 하는 소리가 절로 나오고⋯⋯. 연속극을 보며 눈물짓다가 남자가 무슨 청승맞게 질질 짜느냐고 아내한테 핀잔을 듣기도 한다. 주말에는 남의 경조사 챙기느라고 통장이 바닥나지만 정작 가족끼리 서로 축하하고 격려하고 위로하는 일은 언제였는지 기억조차 안 난다.

30대도 요즘 행복하질 않다. 스펙 쌓느라 좋은 시절 다 보내고 어떻게 흘러흘러 왔지만 여전히 앞길은 막막하다. 성과를 강조하며 생존을 위해 '무한경쟁'을 외치는 조직문화에 적응하기도 어렵다. 체력을 과신하고 운동 안 하고 폭음을 일삼다 보니 비만에 만성피로까지 겹쳐 건강에 자신이 없다. 양성평등적인 사고방식으로 집안일을 하고 아이도 돌보면서 아내를 돕는다고 하는데도 "그게 왜 돕는 거냐? 당연히 해야 할 일 하면서 웬 생색이냐?"며 아내가 오금을 박는다.

나도 한 남자이고 아버지이며 남편이지만 상담을 통해 만났던 세 사람의 얘기에 마음이 아팠다.

변화를
직시하자

열심히 최선을 다해 살았는데 집에서 나만 겉도는 느낌이다. 행복하질 않다. 그렇게 산 게 정말 '최선'이었을까? 타인의 기대에 내 삶을 맞추며 살아온 것은 아닐까? 사회적 잣대에 맞추어 성공을 향해 앞만 보고 달렸던 내 인생, 나는 무엇을 위해 그렇게 열심히 살았을까? 아내와 자식들은 나와는 '종'이 다른 인간들 같다. 나에게 가족은 어떤 의미인가? 5년 후, 10년 후의 나의 삶은 또 어떤 모습일까?

이런 의심과 혼란에서 벗어나려면 이제 스스로 자기 삶의 주인공이 되어야 한다. 끊임없이 자신을 남과 비교하며 남에게 보여주기 위한 삶을 사는 것, 하루 빨리 청산해야 한다. '가짜 나'가 아닌 '진짜 나'를 찾는 것이다. 진정한 나를 모르면 행복한 삶은 결코 내 것이 될 수 없다. 내가 누구이며 내가 진정 원하는 삶은 어떤 것인지, 명확한 그림부터 그려보자. 그리고 누구도 아닌 '나'를 돌보자. 쉬고 싶고 여유 부리고 싶은 나의 욕구도 보살펴주자.

요즘은 행복도 남의 행복과 비교하며 경쟁하듯 추구한다. 행복해지기 위해 일등을 하고 돈을 벌고 성공하겠다고 하지만, 그것은 행복의 조건이지 행복 자체는 아니다. 행복은 거창하지 않다. 행복은 즐거움, 기쁨, 만족, 보람, 고요함, 평화로움…… 이런 것들이 모여 이루어지는 정서이다. 일상생활의 지극히 사소한 것에서도 얼마든지 행복을 느낄 수 있다.

언제부턴가 소소하지만 확실한 행복, '소확행'을 실천하는 사람들이 늘고 있다. 하지만 '소확행'이 성공하지 못한 사람, 도전을 싫어하는 사람들의 핑곗거리가 되어서는 안 된다. 성공이 곧 행복은 아니지만 행복의 한 부분, 조건은 될 수 있다. 성취나 성공을 통해 자신이 유능하다는 느낌을 받을 수 있고 자랑스러움, 자신감도 얻을 수 있기 때문이다. 반드시 성공해야 행복해지는 건 아니지만, 행복해지려면 성공하려는 욕심을 내려놓아야 한다는 말도 설득력이 없다.

통속적인 즐거움, 쾌락을 행복이라고 착각하는 사람들이 있다. 그러나 그것은 진정한 행복이 아니다. 행복은 지극히 주관적이어서, 남의 행복과 비교할 것 없이 행복해지는 나만의 방법을 만들면 된다.

행복에 욕심을 부리면 부작용을 낳는다. 이미 충분히 행복한데도 끊임없이 또 다른 행복을 찾기 위해 지금 이 순간을 희생하는 건 오히려 불행이다.

고통이 없는 것이 곧 행복은 아니다. 괴로움과 시련이 계속되어도 그 가운데 즐겁고 만족스럽고 의미 있는 날들을 찾을 수 있다면 그것이 행복인 것이다.

내 감정을 읽고 정확히 인식하자

'감정표현불능증'이라는 병이 있다. 타인은 물론 자기가 어떤 감정을 느끼는지 모르고, 다른 사람의 감정에 공감하는 데 어려움을 겪으며, 자신의 감정 상태를 정확하게 표현할 줄 모르는 병이다. 무표정하거나 경직된 자세, 굳은 얼굴 표정을 하고 자기가 키우던 반려동물이 죽어도 슬퍼하지 않으며 생일 선물을 받아도 기뻐할 줄을 모른다. 사물에만 주의를 집중하기도 하고, 그러다 보니 사람들에게 로봇 취급을 받기도 한다. 죄의식 하나 없이 잔인하게 살인을 하는 범죄자들 중에도 그런 사람이 있다.

감정표현불능증까지는 아니지만 이와 비슷한 증상을 보이는 남성들이 많다. 한국 사회는 남성이 자신의 감정을 표현하는 것을 부정적으로 바라보는 경향이 있다. 특히 외로움, 슬픔, 불안 같은 감정은 더욱 터부시한다. 그런 표현을 하면 나약한 사람, 문제와 결점이 있는 사람으로 취급한다. 자신의 감정을 건강하게 표현하지 못하고 일 속으로 도피하는 사람도 많다. 효율성을 중시하는 사회 분위기에서 일을 통해 인정도 받기 때문에 문제는 더 깊이 숨어버린다. 문제의 원인도 모른 채 문제가 더 크게 악화된다. 늘 "바쁘다 바빠"를 입에 달고 살면서 바쁜 것이 성공한 삶이라고 착각하고 있는 것은 아닌지 돌아보자. '시간 빈곤'은 새로운 형태의 가난이다. 가장 소중한 사람과의 즐겁고 의미 있는 대화와 소통을 희생해가며 얻는 것이 과연 무엇인지 생각해볼 일이다.

이제 자신의 감정을 살피면서 잘 읽어주어야 한다. 자신의 감정도 잘 모르는 사람이 많다고 하면 "내 감정인데 내가 모르겠느냐?"고 반문하는 사람들이 있다. 하지만 표면적인 감정뿐만 아니라 그 이면에 숨어 있는 감정과 심층감정까지를 읽을 수 있는 사람은 별로 없다. 이제껏 부정적인 감정이라며 화나 분노, 불안, 우울, 슬픔 등을 부인하고 억압하거나 회피하진 않았는지 돌아보자.

긍정적인 감정은 모두 좋고 부정적인 감정은 모두 나쁜 것도 아니다. 흔히 우리가 부정적인 감정이라고 하는 것에도 순기능이 있다. 맹수나 흉기를 든 괴한을 보고 공포를 느끼지 못한다면 자신의 생명을 지키기 어렵다. 또한 자신을 무시하는 사람에게 분노가 생길 때 분노라는 거대한 에너지를 자기 발전의 동력으로 사용한다면 부정적인 감정을 훌륭한 방식으로 승화한 것이다.

감정을 있는 그대로 수용하지 않고 억압하면 그 감정은 사라지지 않는다. 억압하면 억압할수록 어딘가 숨어 있다가 호시탐탐 밖으로 탈출할 기회를 찾는다. 적절한 기회를 찾지 못하면 전혀 엉뚱한 상황에서 폭발해 끔찍한 사건이 발생하기도 한다.

자기감정을 있는 그대로 받아들이는 것은 패배나 실패가 아니다. 나의 약점을 노출하는 것이 부끄러운 일도 아니다. 하지만 그런 감정과 약점을 생각 없이 내뱉는 것은 곤란하다. 다른 사람이 내 집 앞에 쓰레기를 무단 투기하는 일은 있을 수 없다고 생각하면서 자신의 화나 분노, 짜증과 신경질을 아내나 자녀들에게 푼 일은 없었는지 생각해보자. 하지만 지금도 늦지 않았다. 자기감정을 충분히 느끼면서 이를 정확하게 인식하고 통제하는 사람이 건강한 사람이다. 그런 사람이 사회생활에서도 성공할 수 있다. 감정적 섬세함을 예술적 차원으로 승화시키는 예술가까지는 아니더라도 내 감정을 잘 읽을 줄 아는 성숙한 사람이 되자. 그래야 타인의 감정도 잘 읽고 배려할 수 있다.

감정수첩을 만들자

나를 괴롭히는 감정이 생길 때마다 그 순간 떠오르는 '생각'들을 바로바로 적어보는 감정수첩을 하나 마련하자. 이런 '생각'들은 순식간에 스쳐 지나가기 때문에 생각나는 즉시 적지 않으면 금세 사라져버린다. 예를 들면 이렇게 써보는 것이다.

- **날짜** : 7월 19일
- **사건** : 아내가 어머니에 대해 불평불만을 털어놓았다.
- **그때 나의 감정** : 짜증, 분노, 무력감, 죄책감
- **그때 떠오른 생각** : 또 우리 엄마를 비난하네. 그렇게 내가 싫다고 하는데도 내 말을 무시하는 거야? 내가 돈을 못 번다고 우리 집안까지 우습게 보는 거 아니야? 평생 날 위해 고생하신 어머니께 잘 해드리지도 못하고…….

시간이 조금 지난 뒤 감정이 어느 정도 가라앉아 냉정을 되찾으면 감정수첩을 천천히 읽어본다. 좀 더 객관적인 입장에서 내 생각이 옳았는지, 문제점은 없었는지 따져보고 보다 합리적인 생각들을 적어본다. 그리고 또 비슷한 상황이 되면 순간적인 감정에 휘둘리지 말고 지혜롭게 잘 대처하겠다는 결심을 다음과 같이 정리해본다.

- **현재 나의 생각(합리적인 생각)**: 아내가 어머니를 험담하거나 비난한 것도 아닌데 내가 너무 과민하게 부정적으로만 봤구나. 아내가 너무 속상하고 힘들어서 단지 남편한테 하소연하듯이 얘기한 것일 텐데. 그런 얘기를 남에게 할 수도 없는 일 아닌가. 내가 장남으로서의 도리를 다하지 못한 죄책감과 열등감도 작용한 것 같다.
- **앞으로 나의 자세**: 고부간이 항상 좋을 수는 없지. 갈등도 있고 불화가 있을 수도 있다. 그리고 부부간에 늘 좋은 얘기만 하는 것도 문제가 있다. 솔직한 얘기를 주고받지 않으면 진정한 소통이 안 되는 거다. 다음부터는 일단 잘 들어주는 것부터 시작하자. 그리고 아내가 정말 원하는 것이 무엇인지 물어보자.

감정수첩까지 써야 하느냐며 난감해하는 사람도 있을 것이다. 그러나 몇 주일이 지나면 효과가 서서히 나타난다. 감정도 일종의 습관이다. 담배나 술을 끊기가 어려운 것처럼, 뇌는 이미 익숙해진 것을 좋아하기 때문에 부정적인 습관을 끊는 것은 결코 쉽지 않다. 의도적인 노력을 하지 않으면 개선되지 않는다. 뇌는 나에게 긍정적인 것, 이로운 것을 선택하는 것이 아니라 지금까지 유지해왔던 것을 선호한다. 긍정적이고 이로운 것을 선택한다 해도 다시 부정적인 것으로 되돌아가기가 쉽다. 몸무게를 줄이는 것보다 줄어든 몸무게를 유지하는 것이 더 어렵듯이 감정에도 요요현상이 생기는 것이다. 그래서 부정적인 감정보다 긍정적인 감정을 더 자주 느끼고 표현하려는 의도적인 노력이 필요하다.

　다음에 제시한 긍정적인 느낌의 감정 단어들을 참고하여 적극적으로 밝은 느낌을 표현해보자. 말을 안 하면 귀신도 모르는 법이다.

기쁘다, 미친 듯이 기쁘다, 기쁨이 넘친다, 짜릿하다, 짜릿짜릿하다, 날아갈 듯이 홀가분하다, 흐뭇하다, 상쾌하다, 안락하다, 감동스럽다, 고맙다, 놀랍다, 흡족하다, 유쾌하다, 명랑하다, 즐겁다, 시원하다, 신바람난다, 반갑다, 사랑스럽다, 뭉클하다, 후련하다, 든든하다, 근사하다, 아늑하다, 행복하다, 자랑스럽다, 황홀하다, 통쾌하다, 멋있다, 재미있다, 흥분된다, 믿음직스럽다, 감격스럽다, 평화롭다, 예쁘다, 따뜻하다, 부드럽다, 정답다, 상냥하다, 살맛난다, 신난다, 눈물겹다, 마음이 확 열린다, 벅차다, 산뜻하다, 싱그럽다, 야릇하다, 환상적이다, 후련하다, 그립다, 자신만만하다, 믿을 만하다

가정도 변화경영의 지혜가 필요하다

초고속 시대, 세상은 짧은 시간에 정말 빠른 속도로 변화해왔다. 이제 가족관계에서도 변화를 직시하고 남자들이 변하지

않으면 안 되는 시대가 되었다. 아내와 자녀들의 의식변화 속도를 따라가지 못하면 그 간격만큼 갈등과 불화가 깊어진다. 이제 행복한 가정을 꾸려나가기 위해서도 '변화경영'의 지혜가 필요하다. 변화경영의 지혜는 기업에만 요구되는 게 아니라 이 시대의 남성들에게도 요구되는 덕목이다. 변화를 직시하고 이 시대에 맞는 남편으로서, 아버지로서 내가 어떻게 변화해야 할지 돌아보아야 한다.

사람들은 대부분 변화를 싫어하며 변화에 강하게 반발한다. 익숙한 것과 결별하면 스트레스를 받는다. 변화한다고 해서 원하는 결과가 보장되는 것도 아니어서 불안이 따른다. 그러기에 무엇을 위해 변화해야 하는지 그 필요성과 의미를 모르면 변화할 이유를 찾을 수 없다.

그러나 변화는 반드시 뼈를 깎는 고통만 수반하는 것이 아니다. '잔물결 효과ripple effect'가 있다. 호수에 돌을 던지면 큰 파동과 함께 시간이 흐르면서 호수 가장자리까지 작은 파동이 이어진다. 이처럼 자발적인 변화는 잔잔한 영향력의 동심원이 되어 엄청난 결과를 불러온다. 그런 결과를 상상하면 가슴 설레는 도전을 시작할 수 있다. "당신이 먼저 변하면 나도 변하겠다" 조건을 내걸지 말고 나부터 먼저, 주도적으로 변화하는 남편이 되자. 자녀에게 잘못을 했다면 먼저 진심으로 사과하고 변화하는 아빠의 모습을 보여주자.

3

모든 시작에
가정이 있다

두 얼굴의 가족

남편과 시어머니에게 농약을 먹여 숨지게 한 여성이 구속되었다. 동생이 말다툼 끝에 형을 엽총으로 살해한 사건도 있었다. 30대 여성이 전남편을 살해하고 시신을 토막내어 유기한 사건은 그야말로 우리를 경악케 했다. 고독사는 혼자 사는 외로운 노인들의 일인 줄만 알았는데 요즘은 40~50대 남성들의 고독사도 증가하고 있다. 부모의 이혼이나 별거, 가정불화로 인한 청소년들의 가출과 비행, 범죄도 늘었다. 5월에도 '가정의 달'이라는 문구를 무색하게 하는 끔찍한 뉴스들이 들려온다. 사람들은 보통 가정은 따뜻한 보금자리요 안식처이며, 가족은 조건 없이 사랑을 주는 영원한 내 편이라고 생각한다. 그런데 왜 그렇게 충격적인 사건들이 발생하는 것일까?

냉장고, 세탁기, 자동차 같은 물건들만 제 기능을 가지고 있는 것은 아니다. 가족도 나름대로의 고유한 '기능'이 있다. 생산과 소비의 기능, 애정의 기능, 휴식의 기능, 자녀교육과 사회화 기능 등이다. 그러나 불행한 가족은 그런 기능을 제대로 발휘하지 못하고 오히려 역기능으로 인해 문제를 일으킨다.

조건 없는 사랑을 베풀며 심리적 안정을 주고 힘과 행복의 원천이 되는 가족은 화목한 가족, 행복한 가족인 경우이다. 그런데 불행하게도 위에서 열거한 사례들처럼 '가족이 없는 가정', '가정이 없는 가족'도 많다. 비극적인 뉴스를 만들어낸 가정은 지옥이요 그 가족은 원수만도 못하다. 가족이란 이처럼 전혀 다른 두 얼굴을 가지고 있다. 그렇기에 행복한 가정을 이루려면 별문제가 없을 때 가족들 사이에 피어나는 사랑과 믿음에 열심히 물과 거름을 주며 가꿔야 한다.

행복한 가족은 몇 가지 공통점이 있다. 사랑과 감사, 대화와 소통, 함께하는 시간 즐기기, 헌신, 공동의 가족 가치관, 문제해결 능력, 웃음 등 평범한 것 같지만 오롯이 해내기는 쉽지 않은 덕목들이다. 우리 가족에게 행복한 가족의 특성이 얼마나 있는지 늘 점검하고 상대적으로 부족한 점들을 채워나가야 한다. 평소 가족과 함께하는 시간을 좀 더 늘리고 그 시간을 즐겨보자. 각자의 시간과 생활을 갖는 것도 필요하지만 가족과 함께하는 시간에 우선순위를 두고 자신의 시간을 조정해야 한다. 아무리 바쁘고 피곤하더라도 함께 식사하는 횟수를 늘리고 일부러라도 부부의 대화 시간을 만들어야 한다. 대화할 시간을 조금도 낼 수 없다거나 아무리 대화를 많이 해도 진정한 소통이 되지 않는다면 행복한 가정은 남의 일일 뿐이다.

무엇보다 필요한 건 가족 간의 신뢰이다. 부부간에 사랑이 식고 부모 자식 간에 애틋한 정은 좀 부족하더라도 신뢰가 있다면 별문제 없이 가정을 꾸려갈 수 있다. 그러나 믿음이 깨져버리면 함께 사는 것 자체가 어려워진다. 가족이 날 위해 무엇을 해줄 것인가 바라지만 말고, 내가 가족을 위해 할 수 있는 일과 해야 할 일을 먼저 챙기는 태도가 필요하다. 일단 병이 생기고 그 병이 회복할 수 없을 만큼 깊어지면 돈도 명의도 소용없다. 그래서 예방의학을 중요시한다. 가족문제도 마찬가지이다. 터지기 전에 예방을 잘해야 한다.

가족발달론의 주요 개념 중에 '단계'와 '생활사건', '전이'가 있다. 단계란 가족생활을 구분하는 데 있어 이전과 이후의 기간을 뚜렷하게 구분하는, 질적인 변화를 가져오는 기간이다. 생활사건은 특정 시점의 질적인 변화를 가져오는 사건이다. 예를 들어 아이를 출산하면 엄마, 아빠라는 역할이 추가되며 모든 생활이 출산 전과는 확실히 다르게 변화한다. 이처럼 결혼이나 출산 같은 사건을 '전이적' 사건이라고 하는데 한 단계에서 다음 단계로 넘어갈 때 큰 문제없이 발달과업을 잘 완수해야 다음 단계의 과업을 잘 마칠 수 있다. 이전의 발달과업을 잘 완수하고 현재의 문제를 잘 해결해야 미래의 문제도 잘 해결할 수 있는 것이다. 그런데 결혼 전 원가족에서 미해결된 문제가 있으면 결혼 후에도 갈등과 불화가 생기고, 부모가 되는 과정에서 미해결된 과제가 있으면 그 이후의 자녀 양육에 어려움을 겪는다.

가족탄력성과 회복력의 중요성

이제 가족제도는 사라지는 것일까? 가족은 기업의 가족마케팅에서 이윤을 추구하는 수단으로밖에는 존재하지 않는 것일까? 현대사회의 가정은 붕괴되고 가족은 해체되었다고 주장하는 사람도 있다. 하지만 급격한 사회변화에 맞춰 가족 또한 변화하고 적응해나가는 과정이라고 본다. 사회와 가족은 서로 영향을 주고받는 관계이며, 사회변화에 맞춰 가족 또한 변하지 않을 수 없기 때문이다.

전통적인 가족의 모습이 반드시 좋았던 것만도 아니며 현대 가족의 모습이 다 나쁜 것만도 아니다. 여성이나 자녀들의 인권이라는 관점에서 보면 오히려 현대 가족이 가족 구성원들을 서로 존중하는 민주적인 가족이라고 할 수 있다. 인간에게는 혼자 살고 싶은 욕구와 더불어 살고 싶은 욕구가 있는데 두 가지 욕구를 다 충족해주는 최선의 제도가 가족이 아닌가 한다. 물론 결혼이나 가족을 통해서 얻는 것들을 대체할 수단과 방법들이 많이 생기긴 했다. 하지만 행복한 가족이 주는 기쁨과 보람은 그 어떤 것으로도 대체할 수 없는 소중한 가치이다.

국력, 체력, 경제력처럼 '가족력'이라는 단어를 사용하기도 하는데, 어렵고 힘든 때일수록 가족의 힘은 더욱 빛난다. IMF 외환위기가 닥쳤을 때 경제적인 어려움이 가족해체로 바로 이어지지는 않았다. 오히려 가족이 더 똘똘 뭉쳐 위기를 극복하고 행복하고 건강한 가족으로 재탄생한 사례도 많다. 올림픽에 출전해 메달을 딴 선수가 감격에 겨워 인터뷰를 할 때 "가족의 힘으로 우승할 수 있었다"며 울먹이는 모습을 자주 본다. 몇 번의 절망과 좌절에도 끝까지 버틸 수 있었던 원동력이 가족이라는 것이다. 가족탄력성, 회복력, 가족의 문제해결 능력은 건강하고 행복한 가족의 공통점이기도 하다.

가족문제의 양과 종류는 앞집이나 옆집이나 어찌 보면 크게 다르지 않다. 그러나 문제에 접근하고 해결하는 태도와 방법은 가족마다 다르다.

별문제 없이 학교에 잘 다니던 중학생 아들이 갑자기 가출하여 행방이 묘연해졌다. 남편은 "도대체 애를 어떻게 키웠기에 가출을 해?"라며 아내를 원망하고, 아내는 "그러는 당신은 뭐했어? 맨날 술만 퍼마시고 애한테 관심이나 있었어?"라며 따진다. 말다툼이 부부싸움이 되고 가족관계는 점점 악화된다. 하지만 문제해결 능력이 있는 가족이라면 누구의 잘못인지 따지기 전에 일단 아이부터 찾는다. 그런 다음 집으로 돌아온 아들을 따뜻하게 맞으며 조심스럽게 가출의 원인부터 탐색할 것이다. 그리고 아들이 또다시 가출을 하지 않고 가정과 학교에 잘 적응하도록 많은 대화를 나눌 것이다. 부모로서 잘못한 점은 없는지 돌아보면서 위기를 행복한 가족으로 거듭나는 기회로 삼는다면 문제해결 능력이 있는 가족이다.

작은 위기나 시련에 꺾이지 않고 오히려 서로 따뜻이 손을 맞잡는 기회로 삼는 가족은 회복탄력성이 뛰어난 가족이다. 가족의 응집성과 적응력은 어느 한순간에 이루어지지 않는다. 끊임없이 상호작용하면서 만들어낸 신뢰의 시간이 켜켜이 쌓인 결과이다. 건강하고 행복하게 사는 가족은 서로가 늘 사랑하고 감사하는 태도로 끊임없이 대화하고 소통하며, 함께하는 시간을 즐기고, 서로에게 헌신한다는 평범한 진리를 잊지 말아야 한다.

사적인 영역과 공적인 영역

행복한 가족을 만들기 위해 개인이 할 수 있는 노력에는 한계가 있다. 이웃과 사회, 국가가 적극적으로 관심을 갖고 지원하고 배려하지 않으면 안 된다. 가족은 지극히 개인적이고 사적인 영역 같지만 대단히 공적인 영역이기도 하다. 폭행이나 강도, 방화나 살인 같은 범죄 혹은 사회문제가 모두 가족문제에서 비롯하는 것은 아니다. 하지만 많은 문제들이 가정폭력, 학대, 이혼, 가출 등 가족문제로부터 잉태된다. 그런 가족문제를 미리 예방하여 사회문제나 범죄를 줄일 수 있다면 천문학적인 국가예산도 절감할 수 있다.

예전에는 가장들이 "마누라가 맞을 짓을 했으니까", "내 자식 내가 버릇들이겠다는데 누가 뭐라고 그래?" 하면서 폭력을 휘둘렀다. 가정폭력에 아무도 간섭할 수 없는 사회 분위기였다. 그러나 지금은 가정폭력이 범죄임을 대부분의 사람들이 인식하고 있다. 효과적으로 개입해야 한다는 목소리가 높아지면서 신고 의무가 있는 교사나 의사들이 신고를 하지 않으면 처벌까지 하는 법이 생겼다. '그 집구석'에서 어떤 일이 벌어지는지는 아무도 모른다. 이제 은밀한 곳에서 벌어지는 가정폭력이나 학대를 밖으로 알리고 제때에 도움을 요청하는 자세가 필요하다.

임신이나 출산, 육아는 여성 혹은 그 부부만의 일이 아니라 우리 사회와 국가가 함께 책임져야 할 일이다. 출산장려금이나 육아수당 몇 푼으로 저출산문제를 해결할 수는 없다. 마음 놓고 아이를 낳아 키울 수 있는 사회 분위기와 시스템을 먼저 만들어야 한다. 아이들을 정성들여 키우는 일은 기업이 필요로 하는 인력을 키워내는 일이며 국방의 의무와 납세 의무를 다할 자원을 길러내는 일이다. 그 중요한 과업을 여성에게만 떠넘기고 방관해서는 안 될 일이다.

되도록 야근 안 하고 정시에 퇴근할 수 있는 기업문화를 만들어야 한다. 퇴근 후 업무 연락을 자제하는 분위기를 만들어야 한다. 회식 일정을 사전에 공유하거나 점심 회식 혹은 문화 회식으로 바꾸는 등 회식 문화를 개선하는 시도도 필요하다.

효도라는 이름으로 노인문제를 개별 가정이나 자녀에게만 떠넘기는 것도 일종의 폭력이다. 자기 가정 하나 꾸리는 것도 힘든데 부모 봉양까지 하기에는 현실이 너무 벅차다. 경제적인 문제만 심각해지는 게 아니다. 부모가 암이나 치매, 장기 입원으로 전면적인 간호를 받아야 하면 아무리 효자라도 뾰족한 방법이 없다. 맞벌이부부라면 더욱 난감하다. 각종 복지 제도가 시행되고는 있지만 지금과 같은 고령화 속도로는 한계가 있다. 효도를 제대로 못 하고 있다는 죄책감과 당면한 경제적 고통을 국가가 일정 부분 책임지고 뒷받침해주어야 한다. 그렇지 않으면 고령화 사회의 문제가 더욱 심각해지는 악순환이 계속될 수밖에 없다.

가족을 바라보는 이중적 시선

이제 가족을 '정상'과 '비정상'으로 구분하는 인식도 바로잡아야 한다. 예전에는 부부와 자녀로 구성된, 초혼으로 맺어져 한집에 사는 사람들을 가족이라고 불렀다. 하지만 요즘은 한부모가족, 자발적 무자녀가족, 주말부부나 월말부부 같은 기러기가족 등 분거가족도 크게 늘었다. 가족을 정의하던 모든 개념이 도전을 받는 요즘엔 가족의 겉모습만 보고 정상, 비정상으로 구분해서는 안 된다. 재혼가족, 다문화가족, 입양가족, 조손가족, 동성애가족은 전통적인 가족의 모습과 다르다. 가족의 형태가 조금 다르지만 가족 구성원이 서로 존중하고 배려하면서 행복하게 산다면 그 또한 훌륭한 가족이다. 겉모습만 멀쩡하지 속내를 들여다보면 곪을 대로 곪은 가족이나, 심리적으로 이혼한 부부도 많다.

어느 재혼 부부가 있었다. 초혼인 여성이 아이가 있는 남성과 결혼한 경우였다. 그런데 어느 날 초등학교 1학년인 아들이 이러는 게 아닌가?

"엄마, 사람들이 자꾸 엄마가 나를 안 때리느냐고 물어 봐. 왜 그러는데?"

엄마는 억장이 무너졌다. 언제부턴가 자신이 재혼한 사실을 이웃들이 알고 엘리베이터에서도 이상한 눈초리로 쳐다보는 것 같았다. 친엄마도 아이들이 잘못하면 나무라고 사랑의 매를 들 수 있는 법인데, 친엄마가 아니라 계모라는 이유로 아이들한테 그런 질문까지 하다니…….

장애인 가족도 불편하기는 마찬가지이다. 그들에겐 동정의 눈초리나 지나친 친절과 배려도 반갑지 않을 때가 있다. 그들이 바라는 것은 자선이나 봉사가 아니다. 일반적인 가정을 대하듯 똑같은 시선으로 봐주고 최소한 상처만 주지 않아도 그들의 삶은 몇 배 편안해질 수 있다.

일과 가족의 조화로운 균형

행복한 가족은 저절로 만들어지는 것이 아니다. 사랑하는 남자와 여자가 결혼만 하면 행복한 결혼 생활이 보장되는 것도 아니다. 그렇다면 행복한 가족을 이루기 위해서는 어떤 노력을 해야 할까?

무엇보다 부부관계를 튼튼하게 바로 세워야 한다. 지나치게 자식 중심, 일 중심, 돈 중심으로 살지 말고 가정의 출발점인 부부농사에 먼저 투자해야 한다. 부부관계에 금이 가고 부부가 해체되면 자녀를 올바로 키우기 어렵다. 일이 잘 안 풀리고 경제적으로 어려움을 겪더라도 부부가 마음을 모아 위기를 극복하면 다시 상황이 호전되기도 한다. 반대로 넉넉한 살림에 일이 술술 풀려도 부부관계에 문제가 생기고 점점 악화되면 모든 것이 꼬여버린다.

가족의 행복을 위해 밤낮으로 일하고 가족이 함께할 시간까지 희생해가면서 돈을 벌지만 정작 그 가족이 행복하지 않다면 무언가 잘못된 거다. 무엇이 더 중요하고 진정으로 급한 일인지를 따져 우선순위를 조정하자. 대단히 중요하지만 당장 급하지는 않기 때문에, 가족 중 누군가 해주길 바라면서 자꾸 미루는 것 중의 하나가 바로 가족의 행복이다. 가족이 날 위해서 무엇을 해줄까를 바라지만 말고 내가 가족을 위해서 해야 할 일, 내가 할 수 있는 일부터 먼저 실행에 옮기자.

'워라밸Work and Life Balance'(일과 삶의 균형)을 외치는 목소리가 크다. 물론 일과 가족의 밸런스를 항상 잘 유지할 수는 없겠지만 늘 균형을 생각하며 조화로운 삶을 추구해야 한다. 서핑을 하듯이 말이다. 출산 후에는 아기 중심으로 살다가 회사가 위기에 처했거나 큰 프로젝트가 떨어지면 중심이 일 쪽으로 기울어진다. 바로 그런 때가 균형을 잡아야 할 때이다.

가족에 대해서 공부하자

행복한 가족을 만들기 위해서는 공부해야 한다. 대학교에 가기 위해서 하는 '국영수'가 공부의 다가 아니다. 그런데 우리는 운전면허증을 딸 때만큼의 공부도 안 하고 누군가의 남편이 되고 누군가의 아빠가 된 것은 아닌지 모르겠다.

나는 다행스럽게도 인생의 방향을 180도 바꾸어 연구소를 개설한 뒤 참 많은 공부를 했다. 학자나 교수가 되기 위해 시작한 공부는 아니었지만 내 전공인 '가족학'이 남편 역할, 아빠 노릇 하는 데도 큰 도움이 되었다. '참으로 내가 무지했구나. 이런 것을 좀 더 일찍 알았더라면 결혼 생활이 더 원만하게 풀렸을 텐데' 하는 아쉬움이 컸다. 학자들은 어쩌면 이렇게 일목요연하게 이론들을 잘 정리해놓았을까 감탄스러웠다. 학위가 목적은 아니었지만 7년 만에 어렵게 가족학 박사학위를 딴 뒤 다시 대학원에서 심리학을 공부했다. 하지만 더 많은 공부는 학교가 아니라 내가 만난 부부와 가족들을 통해서 할 수 있었다. 갖가지 사연으로 고통받고 괴로워하는 그들의 문제를 함께 풀어나가면서 생생하게 살아 있는 지혜를 터득했다.

공부라고 해서 거창하게 생각할 필요는 없다. 다시 대학교에 입학하거나 석사학위, 박사학위를 따야 하는 것도 아니다. 끊임없이 배우자와 대화를 나누고 상의하면서 방법을 찾아나

가는 것도 공부이다. 이혼의 위기 앞에서도 끝까지 포기하지 않고 함께 방법을 찾다보면 그것이 자신을 위한 공부가 된다. 먼저 결혼한 사람들의 조언이나 충고도 도움이 된다. 얘기를 처음 들을 때는 이해하기 어렵거나 동의할 수 없는 내용도 있을 것이다. 하지만 그 나이가 되면 왜 그들이 그런 얘기를 했는지 생생하게 다가온다. 우리가 아무리 간접경험을 하고 미루어 짐작하더라도 직접 겪지 않으면 이해할 수 없는 일들도 많다. 장애를 가진 자녀를 키워보지 않고서 그 부모의 심정을 어떻게 다 알겠는가? 이혼이나 사별의 아픔을 겪어보기 전에 그 고통과 외로움의 깊이를 어떻게 상상할 수 있겠는가? 치매에 걸린 부모님을 십수 년 모셔보지 않고 어떻게 그 어려움을 충분히 안다고 할 수 있겠는가?

관련 서적을 읽거나 궁금한 것을 인터넷으로 검색해보는 것도 좋은 공부이다. 요즘은 가족문제와 관련한 책도 많이 나와 있고, 인터넷을 통해 웬만한 정보는 다 얻을 수 있다. 비슷한 문제로 고민하는 사람들의 커뮤니티나 모임을 통해서도 많은 정보를 얻을 수 있다.

결혼식을 위해 수백만 원, 수천만 원은 아끼지 않으면서 당장 신혼여행을 마치고 돌아오면 시작될 결혼 생활 준비는 소홀히 하는 커플들이 많다. 설거지와 청소는 누가 할 건지, 생활비로 얼마나 쓸 건지, 양가 부모님은 얼마나 자주 찾아뵈어야 하는지, 아이를 언제 가지고 어떻게 키울 것인지, 맞벌이는 언제까지 계속할 것인지…….

그래서 '결혼식' 준비만이 아니라 '결혼 생활' 준비를 위한 공부도 필요한 것이다. 부모 역할은 어떻게 하는지, 부부간에 대화는 어떻게 나누는지, 우리는 제대로 배워본 적이 없다. 우리말로 하는 건데 부부 대화법을 돈과 시간을 들여서 따로 배워야 하느냐고 따지는 사람도 있다. 하지만 남녀의 말이 얼마나 다른지 모르고 하는 소리이다. 대화 때문에 혹은 대화를 한다면서 싸우는 일이 얼마나 많은지를 안다면 진정한 소통에 대해 제대로 배울 필요가 있다. 고부간 갈등을 풀기 위해 남편으로서, 아들로서 중간 역할을 어떻게 해야 하는지, 중년의 위기를 어떻게 넘겨야 하는지, 노년이나 죽음은 또 어떻게 준비해야 하는지도 공부의 주제이다. 지자체나 복지관, 종교 기관이나 문화센터 등에서 실시하는 교육 프로그램에 참여하는 것도 훌륭한 공부가 된다.

죽음을 준비하는 데도 공부가 필요하다. 닥치면 다 알아서 할 텐데 웬 유난을 떠느냐고 할지 모르지만, 죽음을 준비한다는 것은 지금 내 삶을 돌아보고 성찰하자는 의미이다. 죽음을 애써 외면하고 살다가 죽음이 다가오면 절망하고 살고 싶다고 매달리는 일은 막아야 한다. '당하는 죽음'이 아니라 죽음을 담담하게 맞기 위해서는 공부가 필요하다.

'가족주기'라는 개념도 알아두면 도움이 된다. 가족주기란 가족이 결혼으로 형성되어 자녀 출산과 자녀 성장으로 확대되었다가 자녀의 결혼과 독립으로 축소되고 부부가 사망에 이르는 과정을 거치는 시간적 연속을 의미하며 '가족생활주기'라고도 한다. 결혼하여 아이를 낳고 그 아이가 성장해서 결혼하기까지, 그리고 자기 자신이 노년기와 임종을 맞기까지, 단계마다 부딪치는 여러 가지 가족사건이나 예상되는 갈등만 알아도 가족문제를 예방할 수 있다. 아동발달단계의 지적 발달, 신체적 발달, 사회성 발달, 도덕성 발달에 대해서도 몇 가지 기본 지식만 갖추면 큰 불행을 예방할 수 있다.

돈이나 집, 좋은 차만 재산이 아니다. 우리 가족이 가지고 있는 '가족자원'도 큰 재산이다. 지하자원, 수산자원만 자원이 아니라 우리 가족이 활용하고 행복한 가정을 만드는 데 도움을 줄 수 있는 것들이 다 자원이 된다. 동네 가까이 있는 공원이나 쇼핑센터, 체육시설도 우리 가족의 자원이 될 수 있다. 졸업장이나 자격증, 요리 솜씨, 무엇이든지 잘 고치는 손재주, 부지런함, 유머 감각, 남다른 형제애, 좋은 이웃 등, 우리 가족이 행복하게 살아가는 데 도움을 주는 모든 것이 가족자원, 우리 집 재산이 되는 것이다.

전국을 다니며 강의를 할 때 행복한 가족을 만드는 방법에 대한 질문을 가장 많이 받는다. 내 대답은 한결같다.

"비결은 없습니다. 행복한 가족을 만드는 비결, 부부가 화목하게 지내는 방법, 자녀를 잘 키우는 비법, 다 알고 계시죠? 알고 있는 것을 지금 당장, 바로 '나부터' 실천하는 것이 최고의 비결입니다."

살을 빼는 데 특별한 비결이 없는 이치와 똑같다. 적당히 먹고 꾸준히 운동하는 것, 그것이 모두가 잘 알고 있는 비결 아닌 비결 아닌가. 행복한 가정을 만드는 비결도 딴 데 있지 않다. 각자의 역할에 충실하면서 끊임없이 대화하고 서로를 배려하는 것, 행복한 가정을 만드는 데 내가 도움을 주는 사람이 되는 것, 그것이 비결이다.

4
가정도
경영이다

가정경영의 필요성

2000년 1월 1일, 가정경영연구소의 문을 열었다. 하지만 다들 연구소 이름을 낯설어했다. 가정경제연구소, 가족문제연구소, 가정연구소……. 연구소 이름을 제대로 기억하는 사람이 별로 없었다. '경영' 하면 대부분 기업경영을 떠올린다. 그러나 요즘은 학교경영, 병원경영, 국가경영 등 곳곳에서 경영 마인드를 강조하고 있다. 심지어 마음경영, 자기경영까지.

옛날 농경사회에서는 '가정경영' 같은 건 몰라도 별문제가 없었다. 얼굴 한 번 안 보고 부모가 짝지어주는 대로 결혼해서 그럭저럭 살았다. 자신이 태어난 마을에서 죽을 때까지 농사짓다 생을 마감했던 시대의 얘기이다. 부부가 좀 부족하고 미성숙해도 할아버지, 할머니와 고모, 이모, 삼촌들이 가르쳐주고 부족한 부분을 보완해주었다. 하지만 요즘같이 격변하는 복잡한 사회에서는 사랑하는 사람들끼리 결혼해도 잘 살기가 쉽지 않다. 이제 경영마인드는 회사에서만이 아니라 가정에서도 필요하다.

기업경영과 가정경영은 규모부터 다르다. 최대의 이익을 추구하는 기업과 조건 없는 사랑을 나누는 가정은 목표에서도 차이가 난다. 기업에서는 경영자와 관리자가 다르지만 가정은 경영과 관리를 같은 사람이 한다는 것도 차이점 중의 하나이다. 규모에 따라 다르긴 해도 통상 기업은 최고경영자, 임원 그리고 중간관리자와 직원으로 역할이 나뉜다. 반면 가정은 부부가 공동대표이며 임원이자 관리자라고 할 수 있다.

기업과 가정은 그렇게 분명한 차이가 있지만, 기업경영에 적용하는 여러 가지 원칙과 기법들은 가정경영에 그대로 적용할 수 있다. 접목만 잘하면 놀라운 성과를 이끌어낼 수 있다. 하반기가 되면 많은 기업들이 새해 사업계획서를 작성하기 위해 심혈을 기울인다. 마찬가지로 가정에서도 다음 해 살림을 어떻게 꾸려갈 것인지 계획을 짤 수 있다. 기업에서 연간, 분기별, 월별로 결산을 하듯이 가정에서도 일 년 동안, 한 달 동안 계획한 대로 살림을 잘했는지 결산을 할 수 있다. 대충 주먹구구식으로 "남들도 다 그렇게 사는 거 아니야?" 하면서 계획 없이 하루하루 살아간다면 행복한 가정은 그저 꿈일 뿐이다. '가정경영'은 가족들이 공동으로 추구하는 가치를 실현하고 욕구를 충족하기 위한 계획적인 활동이다. 그런데 기업경영에 쏟는 에너지와 시간의 몇 분의 1, 아니 10분의 1만 가족을 위해 투자해도 놀라운 변화가 일어난다.

가족의 비전과 목표 설정하기

가족의 비전을 한번 만들어보자. 가족은 대단히 동질적인 집단 같아 보이지만 남편과 아내, 자녀가 생각하는 행복한 가족의 모습은 각자 다르다. 따라서 행복한 가정을 위한 장기계획을 함께 작성해보는 게 도움이 된다. 가족의 비전은 단순 명료하면서도 가슴을 뛰게 하는 이정표이다. 어렵지만 한번 도전해보고 싶게 만드는, 열정을 불러일으키는 한 줄짜리 문장을 만들어보자. 100일간의 가족 세계일주, 새소리에 잠이 깨는 전원주택 마련, 3대가 함께 사는 행복한 대가족…….

비전이 만들어지면 이를 달성하기 위한 핵심가치와 목표를 설정해보자. 가족 목표는 막연한 희망 사항이 아니다. 노력도 하지 않고 이루어지기를 바라는 욕심이나 단순한 부러움이 목표가 되어서는 안 된다. 가족 구성원들의 목표를 합친 것도 아니다. 가족 모두가 참여하고 합의해서 만들어낸, 정말 도달하고 싶은 절절한 무엇이어야 한다. 가장의 목표를 강요하는 것도 금물이다. 가족 간에 진정한 소통이 이루어져 개인 목표와 가족 목표의 방향이 일치한다면 금상첨화이다.

가족 목표는 구체적이어야 한다. '건강에 좀 더 신경 쓰자', '화목하게 살자', '아이들 잘 키우자', '자기계발에 더욱 힘쓰자' 같은 목표는 추상적이고 모호하다. '건강을 위해 매주 10킬로미터 달리기', '일요일 저녁만큼은 반드시 함께 모여 식사하기', '아이들 앞에서는 싸우지 않기', '매월 책 한 권씩 읽고 소감 나누기' 등으로 목표를 설정하는 것이 효과적이다.

가족 목표는 실현 가능해야 한다. 1년 365일 하루도 거르지 않고 술을 마시던 사람이 새해부터 술을 끊지 못하면 이혼하겠다고 큰소리치는 것은 허세에 가깝다. 몸무게를 줄이겠다고 6~7년간 별별 방법을 다 썼지만 오히려 살이 더 찐 사람이 3개월 안에 20킬로그램을 줄이겠다고 장담하는 것도 실패할 확률이 높다. 식단을 조정하여 한 달에 1킬로그램씩 1년에 총 12킬로그램을 줄이고 2년간 유지하기, 술 마시는 횟수를 주 5회로 줄이고 그중 한두 번은 집에서 아내와 한잔하기. 이런 목표가 훨씬 더 현실적이지 않을까?

가족 목표는 반드시 성과를 측정할 수 있어야 한다. 목표를 달성하기 위해 월간 목표, 주간 목표, 일일 목표로 목표를 잘게 쪼개서 실천사항을 점검하면 더욱 효과적이다. 가족 목표를 달성하기 위해 역할을 분담하는 것도 좋은 방법이다. 필요하면 목표를 수정하거나 기한을 연장해도 상관없다.

설사 목표를 달성하지 못해도 그 과정에서 가족 간 이해의 폭이 넓어지고 새로운 애정이 싹틀 수 있다. 앞으로 나아갈 길도 보이고 가족 목표를 달성한 미래의 모습도 기대되기 때문에 과정 자체가 즐거운 여행이 되는 것이다. 그러나 충동적으로 비전과 목표를 설정해놓기만 하고 평소에는 다 잊어버리고 중간점검이나 실천을 하지 않는다면 그런 가족 목표는 한낱 꿈일 뿐이다.

아내와 자녀를 고객이라 생각하자

고객만족을 경영방침으로 내세우는 기업들이 크게 늘었다. 고객서비스 헌장을 제정하고 고객만족센터를 설치하며 고객 불만 사항을 즉시 처리하고 고객만족도 조사를 매년 실시한다. 요즘은 고객만족 경영을 실시하지 않는 기업이 드물 정도로 중요한 경영철학이 되었다.

아내나 자녀를 고객이라고 한번 가정해보자. 그리고 아내와 아이들이 나에게 얼마나 만족하고 있는지를 묻는 신임 투표를 실시한다고 상상해보자. 전국의 기혼여성들에게 "당신의 남편이 내년에도 계속 남편으로 유임하기를 원하십니까?"라고 묻는다면 남편 자리를 계속 유지할 수 있는 사람이 얼마나 될까? 전국의 자녀들에게 "당신의 아버지가 내년에도 계속 아버지로 연임하기를 원하십니까?"라고 묻는다면 그 결과는 또 어떻게 나올까? 고객에게는 간과 쓸개까지 다 갖다 바치면서도 정작 가장 소중한 가족에게는 왜 그렇게 무심했는지 돌아볼 필요가 있다. 고객에게 바치는 그 정성의 몇 분의 1이라도 가족에게 투자한다면 가족관계에 놀라운 변화가 일어난다.

아내가 고객만족도를 작성한다고 생각하고 어느 항목에 가장 많은 점수를 줄지 체크해보자. 높은 연봉, 아내 존중해주기, 아빠 노릇 잘하기, 퇴근 후 일찍 귀가하기, 집안일 분담하기, 처가에 잘하기, 기념일 잘 챙기기, 음주 횟수 줄이기 등등. 결과는 예측 가능하다. 아내에게 내가 줄 수 있는 것을 일방적으로 주고 싶을 때 준 뒤 "내가 베푼 것에 대해 고마워하지는 않고 왜 그리 불만이 많으냐?"고 불평한다면 만족스런 점수는 기대할 수 없다.

'고객만족'은 궁극적으로 나 자신을 위하는 길이다. 나이 들어 경제력을 잃고 병까지 들어 아내나 자식들 눈치 보면서 점수를 따려고 한다면 자신이 얼마나 비참하고 초라하겠는가? 내가 건강하고 힘이 있을 때 가족을 먼저 배려하고 챙겨주는 지혜가 필요하다. 부부나 부모 자식도 일종의 사회적 관계여서 권력 관계로 볼 수 있다. 젊었을 때는 권력의 중심이 나에게 있는 것 같지만 갈수록 아내와 자녀들에게로 이동한다는 사실을 잊지 말아야 한다. 과거 전통사회에서는 가장에게 모든 권위가 집중되고 부인과 자녀들은 종속적 위치에 있었다. 하지만 요즘은 개인의 인권과 남녀평등을 중시하면서 부부가 협력하는 민주적 형태로 변화하고 있다. 학력이나 지식의 정도, 사회적인 지위나 소득, 체력 등에서 월등했던 아버지가 점점 자녀보다 열등한 존재가 되면서 권력도 약해진다. 그러나 아무리 힘이 없고 경제력이 약해져도 아버지라는 사실 하나만으로 권위를 유지하는 아버지들도 있다. 그들은 이전에 아내와 자녀들과의 관계를 돈독히 유지하고 남편과 아버지로서의 책임을 충실히 이행해온, 성숙한 사람들이다.

윤리경영 가정에 적용하기

윤리경영이라는 개념조차 없었던 시절도 있었다. 만들기만 하면 팔리던 고속성장시대에는 오로지 이윤 추구에만 매달려 뇌물 제공과 근로자 착취, 탈세도 서슴지 않았다. 그런데 요즘은 사회공헌팀을 따로 두고 법인까지 만들어 사회적 책임을 다하는 기업이 늘고 있다. 법적인 제재를 받지 않을 정도의 준법 수준에 머물렀던 기업들이 장기적인 투자의 일환으로 윤리경영을 적극적으로 실천하고 있다. 기업의 이미지 제고를 위한 '가면'이나 보여주기식 이벤트 또는 한철 행사로 윤리경영을 보는 시각도 있다. 하지만 기업의 생존과 세계적인 기업으로의 성장을 위해 윤리경영은 이제 선택이 아니라 필수가 되었다. 단순히 양질의 제품이나 서비스, 착한 가격만 가지고는 살아남기 어렵다. 비윤리적인 기업의 제품이나 서비스는 소비자들이 바로 외면해버리기 때문이다.

이런 윤리경영은 가정에서도 요구된다. 남자들의 외도나 폭력에 관대하던 시절이 있었다. 하지만 요즘은 남편의 폭력이나 외도를 참고 사는 여성들을 찾아보기 어렵다. 부모가 돌아가신 후 상속 분쟁으로 형제끼리 치고받고 싸우는 가족도 있고 심지어 존속살인 같은 패륜 범죄도 자행한다. 그런 극단적인 사례가 아니더라도 아내나 자녀에게 하는 비윤리적 행동은 부메랑으로 돌아오거나 자녀들에게 그대로 전수되어 더 끔찍한 사회문제를 낳는다. 자식을 위해 집을 사준다면서 탈세의 수단으로 허위 부동산 계약서를 작성한다면 자녀들이 무엇을 배우겠는가? 뇌물로 병역의무를 면제받게 해주거나 범죄를 저지른 자식을 수사 대상에서 제외시키는 짓은 자식을 망치는 길이다. 회사 법인카드로 가족들과 식사하고 회사 사은품이나 판촉물을 가족이나 친지들에게 돌리며 과시하는 것은 공사를 구별하지 못하는 부끄러운 짓이다.

"다들 그렇게 사는데 나 혼자만 정직하게 살면 나만 손해보는 거 아니냐"고, "현실이 그러니 나 또한 어쩔 수 없다"고 변명할 것인가? 정직하게 살아야 하며 거짓말은 절대로 해서는 안 된다고 아이들에게 가르치면서도 자신은 예외라고 생각한다. '정직'만큼 우리 사회에서 푸대접을 받는 덕목이 또 있을까? 윤리경영이 가정에 건강하게 뿌리내리도록 하기 위해서는 무엇보다 법과 질서를 지키고 말과 행동이 일치하는 부모의 모습을 보여주어야 한다.

다양한 가정경영 기법의 응용

이처럼 기업경영에 적용하는 방법들과 노하우를 조금만 응용해서 가정에 접목하면 놀라운 변화가 일어난다. 채용관리의 원칙을 자녀들의 배우자 선택에 응용할 수도 있고, 리더십을 발휘하여 고부갈등을 지혜롭게 풀어나갈 수도 있다. 재무설계를 기업에만 적용할 것이 아니라 가정 살림에도 활용하면 보다 풍요로운 노후를 기약할 수 있다. 급변하는 국제 정세와 무역 전쟁에 대비하기 위한 유가나 환율 관리 등 기업에서의 변화경영 전략을 우리 가정에는 어떻게 응용할 수 있을지 고민해보자. 그 외에 지식경영, 독서경영도 얼마든지 활용할 수 있다.

　같은 일로 번번이 다투고 언성을 높이는 일이 많다면 회사의 사규나 국가의 헌법처럼 가족규칙을 만들어보는 것도 하나의 방법이다. 가족 내에서도 수많은 규칙이 존재할 수 있다. 가족이 합의하여 만든 명시적인 규칙은 가족 구성원 모두가 알고 있고 이에 대해 서로 얘기할 수 있다. 그러나 서로 논의한 바 없이 은연중에 불문율처럼 정해진 암묵적인 규칙은 누군가가 그 규칙을 깨트리기 전에는 아무도 얘기를 꺼내지 않는다. '대학생이지만 늦어도 밤 12시까지는 반드시 귀가해야 하며, 늦을 때는 미리 연락한다', '고등학생 때까지는 외박은 안 된다' 같은 것이 명시적인 규칙이다. 반면 '아빠가 술 취했을 때는 절대 말대꾸해서는 안 된다', '엄마한테는 이모의 이혼 얘기를 꺼내서는 안 된다' 같은 것은 암묵적인 규칙이다. 가족 규칙에는 실행 규칙, 위반에 관한 규칙, 예외 규칙도 있다.

그러나 일방적으로 규칙을 정하고 강요하면 부작용이 따른다. 가족의 의견을 모아 규칙을 만들고 합의하는 과정이 필요하다. 그리고 규칙을 어겼을 때의 벌칙까지 정하면 더욱 효과적이다. 샤워하고 반드시 욕실 정리하기, 화장지 떨어지면 마지막에 사용한 사람이 바로 채우기, 식사 후 자기 밥그릇은 각자 싱크대에 갖다 놓기, 물컵이나 주스잔 등은 사용 후 바로바로 설거지해놓기, 재활용 쓰레기는 분리하여 정해진 통에 넣기⋯⋯.

하지만 모든 것을 규칙으로 정하면 숨이 막힌다. 또한 규칙이 너무 경직되어 있으면 오히려 갈등과 불화만 커진다. 자녀가 어릴 때는 '일찍 자라'는 규칙이 필요하지만 성장한 후에는 시간을 수정하는 것이 좋다. 용돈이나 귀가 시간 역시 자녀들의 성장에 따라 그에 맞춰 조정하는 융통성이 필요하다.

각 가정마다 처한 상황이 다르기 때문에 모든 가족에게 꼭 들어맞는 전략은 있을 수 없다. 같은 상황에 부딪치더라도 가족마다 대처 방법이 다르다. 자녀가 학교에서 '왕따'로 고통받고 있는 가족, 부부 맞벌이로 고민하는 가족, 고부갈등으로 바람 잘 날 없는 가족, 결혼을 앞둔 자녀의 배우자 선택 때문에 싸우는 가족, 병원에 입원한 부모님 간병문제로 다투는 가족 등 가족마다 상황은 다 다르다. 우리 가족에게 맞는 효과적인 전략을 수립하여 문제해결의 실마리를 풀어보자.

상담의 힘

상담이 가져오는 변화

40대 초반의 아내와 50대 초반의 남편, 여덟 살 차이가 나는 부부가 상담실을 찾았다. 결혼한 지 3년 되었는데 아내의 폭언으로 남편이 힘든 결혼 생활을 하고 있다고 했다. 평소 남편에게 반말을 쓰는 아내는 화가 나면 입에 담을 수도 없는 욕설을 퍼부으며 손에 잡히는 대로 물건을 집어던진다고 했다. 어떤 욕을 하느냐는 질문에 아내는 얼굴을 들지 못했다. 남편에게 물어도 대답을 하지 못해 아내가 어떤 욕을 하는지 적어보라고 했다. 남편이 종이에 쓴 것을 보여주며 이런 욕을 한 적이 있느냐고 하자 아내는 조용히 시인했다. 그럼 평소에 하던 대로 남편에게 욕을 한번 해보라고 했더니 눈물을 삼키며 고백했다. "남편에게 큰 불만이 있는 것은 아니에요. 해달라는 대로 전부 해주는 착한 남편인데 제가 왜 그러는지 모르겠어요." 그러면서 자기 앞에서 쩔쩔매고 눈치를 보며 비위를 맞추는 남편을 보면 화가 가라앉는다고 했다.

그녀에게는 불행한 과거가 있었다. 엄마에게 폭력을 휘두르는 아버지 밑에서 자신도 맞고 학대를 당하며 자란 것이다. 그런 아버지에게 반항 한 번 못 하는 순종적인 엄마를 위해 해줄 수 있는 건 아무것도 없었다. 그런 자신이 너무나 밉고 현실이 절망스러웠다. 그런데 결혼 후 아버지에 대한 분노가 남편에게로 향한 것이다. 그녀는 아버지에게 가졌던 화를 남편에게 풀었다. '여덟 살이나 어린 내가 나이 많은 당신과 결혼해줬다'는 채권 의식도 작용했다.

남편 역시 폭력적인 아버지 밑에서 자랐다. 어머니는 걸핏하면 손찌검을 하는 남편의 행패를 못 이겨 자식을 두고 도망가버렸다. 부모의 사랑을 제대로 못 받고 자란 상처가 깊었다. 힘으로 하면 아내에게 질 리 없지만 아내가 떠날지도 모른다는 불안과 두려움 때문에 번번이 참는 쪽을 택했다. 남편이 받아주니 아내는 자제하지 않고 더욱 거칠게 나갔다. 그러다 아내는 깨닫게 된 것이다. 그렇게 증오했던 아버지를 자신이 닮아가고 있다는 사실을. 자신이 왜 그러는지 몰랐던 아내, 아내가 왜 그러는지 몰랐던 남편, 지옥 같은 신혼을 보냈던 그들에게 한 줄기 빛이 비치면서 부부 사이는 몰라보게 달라졌다.

중학교 2학년인 외아들이 갑자기 학교도 안 가고 사고만 쳐서 부모가 아들을 데리고 상담실을 찾은 경우도 있었다. 부부는 금슬이 썩 좋다고는 할 수 없지만 그런대로 잘 살고 있는데 문제는 아들이라고 했다. 아들만 아니면 아무 문제가 없다는 것이다. 아들이 공부를 잘하진 않지만 학교엔 착실히 다녔는데 갑자기 왜 그렇게 말썽을 부리는지 모르겠다며 엄마가 눈물을 훔쳤다.

상담실에 마지못해 끌려온 아들에게 이유를 물었다. 아들은 자신은 아무 쓸모도 없고 부모한테 짐만 되는 쓰레기 같은 인간이라고 했다. 부부싸움을 하면서 아빠는 "저 한심한 녀석 공부 못 하는 건 지 엄마 닮아 그런 거야"라고 욕하고, 엄마는 "저 녀석만 아니면 진작 갈라서는 건데 자식 때문에 내가 이혼을 못 하고 이러고 살아"라고 했다는 것이다. 무슨 일로 부부가 대판 싸웠는데 잔다고 생각했던 아들이 그 얘기를 다 들어버린 것이다. 아빠는 대수롭지 않다는 듯 말했다. "이혼을 할 만큼 심각한 건 아니었어요. 부부가 싸우다 화가 나면 그런 말도 할 수 있는 거 아닙니까?"

무엇이 문제인지 모르는 부모에게 문제가 있었던 것이다. 엄마 아빠의 지속적인 갈등과 불화 때문에 아들이 비행에 빠진 경우였는데, 그 사실을 상담을 통해 깨닫고 가족이 크게 변화한 사례였다.

상담을 기피하는 이유

살다 보면 배우자나 자신이 왜 그러는지, 왜 그렇게 사사건 건 부딪치는지 이유도 모른 채 부부싸움을 할 때가 많다. "우리 부부는 정말 안 맞아요. 진작 헤어져야 했는데 이렇게 서로 헐뜯고 싸우면서 사는 건 아닌지 모르겠네요"라며 고민하는 부부도 있다. 나름대로 노력도 해보고 별별 방법을 다 써봤지만 문제는 해결이 안 되고 사이만 더 나빠진다는 것이다. 이런 때는 전문가와의 상담이 필요하다.

하지만 우리나라 사람들은 유독 심리적인 문제만큼은 스스로 해결하려는 경향이 강하다. 자신들의 문제를 다른 사람이 알까봐 두려워하고 혹시라도 알게 되면 수치스러워한다. "다 그러고 사는 거지 상담한다고 뭐가 달라지느냐"는 사람도 많다. "상담 받아봤는데 별거 아니더라"는 말만 믿고 상담은 아예 생각조차 하지 않는 사람도 있다. "주사 한 방 안 놔주고 말로만 때우면서 상담료는 비싸게도 받는다"고 불만을 드러내는 사람도 보았다. 그러고 보면 학교에 다닐 때도 상담실은 문제 학생만 가는 데라고 생각했던 것 같다. 반성문 쓰고 처벌받는 곳이 상담실이었다. 상담을 받으면 바로 정신병자로 취급해버리는 사회적인 편견도 문제이다. 상담료는 의료보험도 적용되지 않기 때문에 연속 상담을 받아야 하는 경우 비용도 만만치 않다.

상담의 효과를 믿지 못하는 분위기도 큰 걸림돌이다. 무자격자의 무분별한 상담이나 체계적인 공부나 수련을 거치지 않은 자원봉사자의 질 낮은 상담도 불신의 원인 중 하나이다. 하지만 심리적인 문제나 얽힐 대로 얽힌 가족 간의 갈등은 스스로 풀기가 어렵다. 개인 상담이나 부부 상담보다 가족 상담이 특히 어려운 것은 가족문제의 복잡성 때문이다. 과거로부터 얽혀 있는 갈등과 문제의 실타래는 전문가도 풀어내기가 쉽지 않다. 그래서 한두 번으로 끝낼 수 없고 여러 회기의 상담이 필요한 것이다.

상담의 필요성

M은 불우한 가정환경에서 자랐지만 공부를 잘하고 외모도 출중해 좋아한다는 여자들이 많았다. 그중에 퀸카 중의 퀸카라고 할 만큼 학력이나 집안, 외모, 어느 것 하나 빠지지 않는 여자가 있었다. 하지만 그녀를 만나면 만날수록 긴장되고 불안하며 마음이 편치 않았다. 그녀 역시, 늘 경직되어 말도 잘 안 하고 웃지도 않는 그가 자신을 싫어하는 것 같아 오랜 교제를 끝낼 수밖에 없었다.

그 후 M은 전혀 다른 여자를 만나 결혼했다. 집안이나 학력, 어느 것 하나 내세울 게 없는 여자였고 술도 잘 마시고 거칠었다. 친구들과 주위 사람들 모두 결혼을 말렸지만 M의 고집을 꺾지 못했다. 좋은 조건의 여성들이 많은데도 지금의 아내를 선택한 이유가 상담을 통해 밝혀졌다.

M의 어머니는 유흥업소에서 일하며 자식 셋을 키웠다. 남편의 폭력을 속으로 삭이며 견뎌냈지만 M의 어머니 또한 갈수록 거칠고 폭력적으로 변해갔다. 그런데 M의 배우자 역시 M과 비슷한 가정환경에서 자란 것이었다. M은 그녀가 왠지 편하고 익숙했다. 말도 잘 통하고 무엇보다 눈치 안 보고 주눅 들지 않아서 좋았다. 모든 사람의 반대에도 불구하고 그녀와 결혼한 이유였다.

상담이 만병통치약은 아니다. 상담자가 해결사나 마술사도 아니다. 하지만 문제가 악화될 대로 악화돼 손도 쓸 수 없는 최악의 경우를 막아준다. 각자 나름대로 문제를 해결해보려고 애를 쓰지만 도저히 안 될 때가 있다. 빠져나오려고 하면 할수록 더 깊숙이 빠져드는 늪처럼 절망스러울 때가 있다. 사막에서 물을 찾지 말고 사막을 탈출하는 길을 찾아야 한다. 그 길을 찾아주는 것이 상담이다.

문제를 해결하겠다며 기를 쓰고 에너지를 다 소모하는데도 해결은커녕 사태가 점점 악화된다면 방법이 잘못된 건 아닌지 돌아보아야 한다. 그러나 정작 당사자들에게는 무엇이 잘못됐는지 보이지 않는다. 사막에서 물을 찾으려다가 점점 더 미로에 빠지지 말고 한시라도 빨리 탈출하는 방법을 찾아야 한다. 상담이 바로 그런 사람들에게 길잡이 역할을 해준다. 상담이 과거의 상처를 깨끗하게 치유해주는 것은 아니다. 하지만 과거의 상처를 다른 관점에서 돌아보고 새로운 의미를 부여하며, 과거의 상처가 현재의 삶을 더 이상 좌지우지하지 못하도록 해줄 수 있다. 나를 내 인생의 주인공으로 다시 서게 해주는 것이다. 아무에게도 말 못 했던 나의 상처와 치부, 비밀을 털어놓는 것만으로도 짐이 한결 가벼워진다. 상담자와 얘기를 나누면서 문제가 스스로 정리되는 효과가 있기 때문이다.

상담을 효과적으로 활용하는 방법

나의 치부를 처음 만나는 누군가에게 털어놓는 것은 생각보다 훨씬 어렵다. 용기를 내서 상담을 받아야겠다고 결심해도 누구를 찾아가야 할지 막막하다. 일단 상담 관련 전공자를 찾아보는 것이 좋다. 상담심리, 임상심리 등 석사학위 이상의 학력과 자격증을 소지한 상담자를 찾아보자. 상담계에 몸담고 있는 지인이나 상담 관련 전공자에게 상담자의 프로필을 보여주며 조언을 구하는 것도 하나의 방법이다.

　가까운 사람 중에 전문 상담자가 있더라도 본인을 잘 아는 사람이나 특별한 관계에 있는 사람은 피하는 것이 좋다. 객관적인 상담이 되지 않아 오히려 상담을 그르칠 수 있다. 유명한 사람, 방송에 자주 출연하는 사람을 고집할 필요도 없다. 방송에 맞는 기질이나 연예인 같은 끼를 타고나 방송국에서 선호하는 사람일 수도 있으며, 모두가 전문가는 아니기 때문이다. 상담계에서 묵묵히 한길을 걸어가며 방송 출연은 하지 않는 전문가도 많다. 유명한 사람은 예약자가 많아 제때 상담을 받기도 어려울뿐더러 상담료도 비싸 부담이 될 수 있다. 합리적인 상담료를 제시하는 가까운 상담소를 찾아보자. 요즘은 국가나 지방자치단체에서 지원하는 상담소나 기관도 많다.

하지만 나와 맞는 상담자를 만나기란 결코 쉽지 않다. 내 얘기를 잘 들어주고 내 편을 들어준다고 해서 훌륭한 상담자는 아니다. 문제를 직면하게 하고 따끔한 쓴소리도 마다하지 않는 상담자가 문제를 해결하는 데는 도움이 될 수 있다. 듣기 좋은 말로 공감해주고 내 입장에서 지지해주면 일시적으로 기분은 좋아질지 모른다. 하지만 문제는 해결이 안 되고 계속 상담에만 의존하게 만든다면 바람직한 상담이라고 보기 어렵다. 상담을 받는 마음가짐도 중요하다. 무조건 내 편을 들어달라고 하거나 배우자가 잘못했다는 것을 시인하도록 하기 위해 상담실을 찾는 것은 문제를 더 키울 뿐이다.

개인 상담이 아니라 부부나 가족 전체가 상담을 받아야 하는 경우도 있다. 가족들은 서로 영향을 주고받는 상호의존적인 관계이기 때문에 한 사람이 상담 치료를 받았어도 문제가 재연되는 경우가 많다. 가족 전체를 하나로 보고 체계적으로 접근하는 가족 상담이 효과적인 이유이다.

지나친 기대도 금물이다. 한두 번의 상담으로 금방 문제가 해결되기를 바란다면 실망이 크다. 돈 벌려고 상담 횟수를 계속 늘리는 건 아닌지, 믿을 만한 상담자인지 의심이 들기도 한다. 그때는 상담자에 대한 기본 정보를 사전에 확인하고 당당하게 물어보자. 그것은 상담을 받는 나의 권리이다. 질문을 하는데 얼버무리거나 불쾌한 듯 응대한다면 굳이 그 상담자에게 상담을 받을 필요는 없다.

상담 중에 상담자가 영 마음에 안 들 때도 있다. 그런 경우에는 그런 감정을 주제로 상담하는 것도 좋은 방법이다. 내 마음의 무엇이 건드려져서 불편한지, 유능한 상담자라면 그것으로도 문제해결의 실마리를 잡아나간다. 자신에게 맞는 상담자를 찾기 위해 상담실을 여러 곳 다니며 상담자를 비교해보고 싶은 욕구가 일 때도 있다. 하지만 본인이 적극적으로 문제를 해결할 의지는 보이지 않고 마치 쇼핑하듯 여기저기 상담실을 찾아다니는 것은 바람직한 태도가 아니다. 문제해결의 열쇠는 그 누구도 아닌 나 자신이 쥐고 있다. 상담자는 객관적인 입장에서 내담자에게 문제를 직면하게 하고 해결 방법을 함께 찾아나가는 안내자임을 잊지 말자.

매일매일 무언가를

우리는 건강한 치아를 위해 매일, 단 하루도 빼놓지 않고 3~5분씩 양치에 투자한다. 어디 그뿐인가? 미백 치약, 잇몸 치약, 스케일링, 치간칫솔, 치실, 워터피크, 임플란트 등에 적지 않은 돈을 쓴다. 내 신체 기관 중의 하나인 치아를 위해서도 그렇게 투자를 하는데, 행복한 가족을 만들기 위해서야 말할 나위도 없다. 우리 가족을 위해 매일 하는 일이 무엇인지 돌아보자. '우리 가정의 화목을 위해 단 하루도 빼놓지 않고 내가 의도적으로 하는 일은 무엇일까?'

행복한 가족을 소망하면서도 의도적인 노력엔 마음을 쓰지 않는 사람이 많다. 모순이다. 그렇게 간절히 원한다면서 구체적인 노력엔 소홀하다면 그 소망은 이루어질 수 없는 한낱 꿈일 뿐이다. 아주 사소한 것, 하찮아 보이는 것이라도 좋으니 매일, 단 하루도 빼놓지 않고 무언가를 실천해보자. 하루 세 번이나 하루 두 번, 하루에 한 번도 좋다. 가족에게 매일 고맙다는 말 한 번 이상 하기, 하루 한 번 이상 아내에게 문자 메시지 보내기, 매일 한 번씩 아이들을 꼬옥 안아주기……. 한 달, 두 달, 석 달이 지나 1년 이상 지속되면 누적효과가 가져다주는 기적 같은 변화에 깜짝 놀랄 것이다.

플러스 마이너스 작전

아내나 아이들을 위해 매일 무언가를 해주는 것도 칭찬할 만하지만, 그보다 더욱 효과적인 방법이 있다. 간단하다. 바로 아내나 아이들이 싫어하는 일을 안 하는 것이다. 술 마시고 늦게 들어와 가족들 괴롭히는 일 안 하기, TV 채널 독점하지 않기, (흡연자라면) 담배 냄새 안 나게 하기, 아무데서나 방귀 뀌고 트림하지 않기, 밤늦게 음식이나 안주 요구하지 않기, 식구들에게 잔소리 줄이기 등이다.

312, 211, 110

아무리 술을 좋아하고 술 때문에 다툼이 잦은 남편이라도 술 마시는 횟수를 줄이고 귀가 시간만 지켜도 부부싸움을 크게 줄일 수 있다. 현실적인 여건을 감안하여 아내와 한 가지 원칙에 합의해보자. 실행해보고 무리가 따르면 조정하면 된다. 술을 일주일에 3번 이하로 마시고 늦어도 밤 12시까지는 귀가하는 원칙에 합의했다면 '312'라고 크게 써 붙여보자. 냉장고 문도 좋고 현관문에 붙여도 좋다. 일주일에 2번 이내로 마시고 밤 11시까지 귀가하기로 했다면 '211', 술 마시는 횟수를 일주일에 1번으로 줄이고 늦어도 밤 10시까지 집에 가기로 합의했다면 '110'으로 써 붙인다. 지나치게 욕심부리지 말고 실현 가능한 수준의 목표를 설정하되, 아내와 기꺼이 합의해야 한다.

우리 가족 전용 수식어

방송에 출연하다 보면 부담스러운 수식어로 출연자를 띄워줄 때가 있다. '최고의 가정경영 전문가', '가족문제 최고의 해결사', '백만 불짜리 미소의 소유자' 등…… 좀 낯간지럽겠지만 이런 수식어를 가족에게도 활용해볼 수 있지 않을까? '둘도 없는 나의 보물 우리 아내', '눈에 넣어도 아프지 않은 우리 딸 ○○이', '내가 살아가는 이유의 전부인 우리 아들 ○○이', '이 세상 모든 것을 다 준대도 바꾸지 않을 나의 영원한 천사 ○○○ 여사' 등 말이다. 얼굴 보며 말로 하기 쑥스럽다면 창의력을 발휘한 문자 메시지를 보내보자.

부모님 친구 초대

진정한 효도는 부모님을 기쁘게 해드리는 것이다. 자식도 못하는 일을 부모님의 친구나 이웃, 동호회 회원들이 해주는 경우가 있다. 아무리 자식이 잘한다고 해도 거의 매일 만나 마음껏 웃고 떠들며 하루를 즐겁게 보내는 복지관 친구의 역할을 자식이 하기는 어렵다. 부모님 대신 그분들께 감사를 표하는 특별한 자리를 만든다면 감동은 몇 배로 커진다. 식사 한 번이나 차 한잔, 조그만 선물로도 부모님 어깨가 올라가고 입꼬리가 귀에 걸릴 것이다. 단, 그럴 형편이 못 되는 부모님 친구의 자녀들 입장을 고려해 그 집안에 분란이 일어나지 않도록 지혜롭게 해야 할 일이다.

2장

부부농사

1

부부농사에
먼저 투자하자

이러려고 결혼을 했나

"대단한 걸 기대한 게 아닙니다. 퇴근하면 아내가 차려놓은 저
녁밥 맛있게 먹고 야구 보는 것, 주말에는 가끔 외식도 하고
아이들 재워놓고 아내와 맥주도 한잔하는 것, 그게 내가 바라
던 결혼 생활이었습니다. 직장 생활이 힘들어도 아내의 격려
와 아이들 웃는 얼굴을 생각하면 힘이 날 거라고 생각했죠."

결혼 생활을 하는 남자들이라면 보통 이런 바람을 갖고 있
을 것이다. 하지만 불행하게도 남편들이 꿈꾸던 결혼 생활의
환상이 깨지는 데는 그리 오랜 시간이 걸리지 않는다. 사소한
습관이나 취향 문제로 시작한 말다툼이 출산이나 맞벌이 문
제로 번지고 혼수나 양가 집안 문제로 비약되면 걷잡을 수 없
는 전쟁이 된다. '내가 알던 그 여자가 맞나?' 싶을 정도로 아

내는 짜증과 신경질이 많아지고 거칠어진다. '내가 속아서 결혼을 했나, 내가 이러려고 결혼을 했어?' 후회가 된다. 혼자서도 재밌게 사는 싱글 친구를 보면 부럽기도 하고, 이혼한 뒤 새 여자 만나 더 잘 사는 친구를 보면 나만 바보 같다.

그러나 과연 그럴까? 정확하게 말하면 아내가 변한 게 아니다. 아내가 남편을 속인 것도 아니다. 아내를 보는 남편의 관점이 바뀌고 평가가 달라진 것이다. 연애할 때는 좋은 점만 보였다. 그리고 좋은 점만 보여주고 싶었다. 그러다 보니 서로의 약점을 볼 기회가 없었다. 그러니 그동안 알지 못했던 모습에 당황할 수밖에.

그러면 남편들은 도대체 어떤 아내를 기대한 것일까? 아름다운 가족영화에서나 나오는 그런 아내를 바랐던 것일까? 비현실적인 기대, 지나친 기대는 결혼 생활을 불행하게 만드는 주범 중의 하나이다. 현실은 그런 기대를 만족시켜줄 수 없다. 아내에게 바라기만 했지 원하는 결혼 생활을 누리기 위해, 아내의 기대에 부응하기 위해 어떤 노력을 했나 돌아보면 남편도 딱히 한 일이 없을 것이다.

독신, 동거 그리고 결혼

결혼이 삶의 목표는 아니다. 나의 행복한 삶을 위해 결혼을 선택했을 뿐이다. 군이 라이프스타일을 나누자면 결혼, 독신, 동거로 나눌 수 있다. 하지만 독신이나 동거보다 결혼 생활을 하는 사람이 훨씬 더 건강하고 삶의 만족도나 행복도가 높으며 평균수명도 길다는 것이 한결같은 연구 결과이다.

혼자 사는 남자들은 불규칙한 생활에 먹는 것도 부실하고 술이나 담배에 의존하기 쉽다. 말리는 사람이 없다 보니 돈도 안 모이고 위험한 운동이나 취미 생활로 사고가 나기도 한다. 자기 마음대로 살 수 있다는 장점도 크지만 절절한 외로움은 어쩔 수가 없다. 살다 보면 여러 가지 문제가 생기는데 마음을 터놓고 의논할 상대가 없다. 결혼을 했더라면 두 사람의 지식과 정보, 경험 그리고 양가의 지원으로 보다 지혜롭게 문제를 풀어나갈 수 있을 텐데…….

결혼 생활의 지속적이고 깊은 인간관계가 주는 안정감, 신뢰감은 동거 생활에서도 얻기 어렵다. 독신 남녀나 동거 커플보다 결혼한 부부의 성생활 만족도가 높다는 연구 결과가 있다. 믿음이 있고 서로에게 익숙한 두 사람의 정신적·육체적 교류가 더 깊은 만족을 주는 것이다.

동거의 장점이 없는 것은 아니다. 경제적 부담이 덜하고, 성적 욕구도 해소할 수 있으며, 언제든 헤어질 수 있다는 편리함에다, 명절이나 제사 때 양가 집안을 오가는 불편함도 없다. 상대방을 끝까지 돌보고 책임져야 한다는 부담도 적다.

하지만 바로 그점 때문에 서로에 대한 믿음이 약해져 관계가 깨지기도 쉽다. 장기적으로 보면 단점도 많고 후회를 남길 수 있는 동거가 과연 21세기 결혼의 대안인지 신중하게 판단할 일이다.

안정적인 미래도 보장하기 어렵다. 동거 중 어느 한쪽이 크게 아프거나 실직하거나 애인이 생기면 그 관계는 유지되기 힘들다. 동거는 상대 부모 형제에 대한 도리를 할 일도 없지만 필요할 때 도움을 받을 수 없다는 한계도 있다. 게다가 동거 중 자녀가 생기면 양육 책임 소재나 양육비 문제 등으로 상황은 더욱 어려워진다. 또 복잡한 절차 없이 쉽게 헤어질 수 있지만, 어느 한쪽이 일방적으로 돌아서면 버려진 쪽은 이용만 당했다는 배신감이 크고 법적인 보호를 제대로 받을 수도 없다.

혼인서약서는 한낱 종잇조각에 불과한 것이 아니다. 부부라는 공식적인 지위는 험한 세상에서 두 사람을 지켜주는 울타리가 된다. 물론 결혼 생활은 아내 눈치를 보고 잔소리를 감수해야 하며 자식 때문에 자신의 욕망을 억제해야 하는 단점도 있다. 하지만 바로 그것이 결혼 생활의 장점이기도 하다. 동거 남녀의 흡연율, 음주율, 발병률, 사망률이 결혼한 부부보다 모두 높다는 통계가 그것을 입증해준다.

이처럼 결혼 생활이 주는 여러 가지 이점을 제대로 이해한다면 살다가 좀 힘들다고 바로 이혼을 감행하지는 않을 것이다. 타이어에 펑크가 났다고 바로 차를 버리진 않는다. 집 한 쪽 벽에 금이 갔다고 해서 그 집을 바로 허물진 않는다. 결혼 생활도 마찬가지이다. 갈등이 있고 불화가 생겨도 포기하지 않고 서로 조율하면서 결혼 생활을 유지할 수 있다면 '유지'한다는 것만으로도 대단한 가치가 있다.

부부의 진정한 의미

전국을 다니며 강의를 할 때마다 "부부가 무엇이라고 생각합니까?"라는 질문을 자주 한다. 친구, 평생의 반려자, 든든한 보험이라는 긍정적인 답변도 많다. 그러나 위험한 투기요 도박이다, 60년간의 전쟁이다, 희극과 비극이 섞인 시나리오이다, 3년마다 갈아줘야 하는 어항이다 등의 부정적인 대답도 적지 않다. '웬수, 평생 웬수'라는 말이 나와 빵 터진 적도 있다. 하지만 대체로 호의적인 표현이 더 많다. 나 역시 부부는 '평생을 함께할 둘도 없는 친구'라고 생각한다.

　우리는 살면서 참 많은 사람과 인연을 맺고 산다. 친구, 동창, 군대 동기, 직장 동료, 형제자매, 부모, 자식, 교우, 동호회 회원……. 하지만 한 지붕 밑에서 함께 자고 먹으며 자신의 알몸까지 보여줄 수 있는 관계가 또 있을까. 아내보다 더 끔찍이 예뻐하던 아이들도 언젠가 자기 짝을 만나면 내 품을 떠난다. 내가 부모 곁을 떠나왔듯이. 부모 또한 소중하지만 평생을 함께할 수는 없다. 아내는 이혼하면 바꿀 수 있지만 부모는 바꿀 수 없으니 부모님이 아내보다 더 소중하다는 사람도 있지만, 비교 방식도 진지하지 않고 선뜻 동의하기 어려운 주장이다.

아이들이 결혼한 후에도 30~40년을 같이 살 사람은 아내이다. 내가 병들면 곁에서 간병해줄 사람도 아내이다. 내가 세상을 먼저 떠나면 자식들을 살뜰하게 돌봐줄 사람 역시 아내이다. 나와 가장 많이 싸우면서도 가장 많은 것을 공유하고 있는 사람도 아내이다. 그런 아내의 소중함을 모르고 끊임없이 불평하고 불만을 가졌던 것은 아닐까?

행복한 부부는 서로를 존중하고 배려하며 함께 성장해간다. 그리고 서로에게 에너지의 원천이 된다. 하지만 불행한 부부는 가장 끔찍한 상처와 고통을 주는 적이 된다. 일반적인 인간관계는 기본적인 이해관계를 기초로 가끔 만나거나 경우에 따라서는 자주 만나는 사이이다. 정말 친했던 친구도 안 맞으면 그만 만날 수 있고, 직장 상사나 동료도 버틸 수 없을 만큼 사이가 안 좋아지면 직장을 그만둘 수 있다. 이웃과 문제가 생겨 하다하다 방법이 없으면 이사를 가면 된다. 하지만 부부는 전인격을 노출한 채 거의 모든 것을 함께 나누는 사이로 쉽게 정리할 수 있는 관계가 아니다. 폭력이나 외도나 성격 차이로 둘 사이가 악화되면 마지막 수단으로 이혼을 선택할 수는 있지만 그것도 쉬운 일은 아니다.

부부는 가정의 기둥이자 자녀들에게는 삶의 모델이다. 자식농사를 잘 짓기 위해서는 부부농사에 먼저 투자해야 한다. 부모가 만들어내는 사랑과 믿음, 웃음과 평화가 자녀라는 나무에게는 물이자 햇빛이며 기름진 토양이기 때문이다. 아무리 잘 먹이고 잘 입히고 용돈 많이 주고 일류 학교에 보내도 부부 사이가 화목하지 않으면 자녀들이 건강하게 성장할 수 없다. 부모님께 효도를 하기 위해서도 부부농사가 먼저이다. 용돈 듬뿍 드리고 선물 사드리고 여행 자주 보내드려도 자식이 허구한 날 아내와 으르렁대고 이혼을 하네 마네 하면 효도도 빛을 잃는다. 별 탈 없이 부부가 잘 사는 것이 효도의 일순위이다.

부부농사란 무엇인가

그러면 왜 '농사'인가? 농사는 벼락치기가 안 되기 때문이다. 부부농사가 흉년인 부부가 근사한 레스토랑에 가서 와인 한 잔하거나 해외여행 한 번 갔다 온다고 하루아침에 풍년으로 돌아서는 건 아니다. 농사를 잘하려면 제때 씨 뿌리고 모종

심고 잡초도 뽑고 순도 따주고 가지치기하고 가뭄엔 물도 자주 주어야 한다. 장마나 태풍에 작물이 쓰러지면 일으켜 세워 묶어줘야 하고 웃거름도 제때 주고 북주기도 해야 한다. 그리고 제때 수확을 해야 잘된 농사라고 할 것이다. 언제든 마음먹고 가정적으로 변하면 가족이 반기고 아내가 기꺼이 받아줄 거라는 생각은 착각이다. 때를 놓치고 돌아올 수 없는 강을 건너면 부부관계가 깨지고 가족은 해체된다.

아내에게 먼저 다가가고, 화가 나도 참고, 싸우면 먼저 화해를 하는 노력이 한 번으로 끝나서는 안 된다. 주유소에 들러 한두 번 주유했다고 자동차가 폐차할 때까지 굴러가는 건 아니다. 오랫동안 운동을 안 하던 사람이 헬스장에 들러 일주일 열심히 운동한다고 건강해지는 것도 아니다. 부부농사도 마찬가지이다. 서로의 사랑과 믿음이 시들지 않게 열심히 물주고 가꾸면서 꾸준히 노력해야 풍년이 든다.

'나만 노력한다고 되는 게 아니잖아요? 왜 억울하게 나만 참아야 합니까?'라는 생각이 들 수도 있다. 하지만 부부 중 어느 한쪽이 변하면 두 사람의 관계는 반드시 변화한다. 관계에 변화가 생기면 아내도 서서히 바뀐다. 물론 그 이전의 부부관계가 어떠했는가가 중요한 변수이지만, 노력하는 남편에게 인색한 점수를 줄 아내는 별로 없다.

좋은 남편 10계명

가정경영연구소의 문을 연 2000년에 '좋은 남편이 되려고 노력하는 사람들의 모임'을 시작했다. '좋은 남편 10계명'도 만들었다. 2013년 다시 한번 캠페인을 벌였는데 두 번 다 언론에서 뜨거운 호응을 보여주었다. '좋은 아버지'가 되려면 먼저 '좋은 남편'이 돼야 한다는 게 나의 한결같은 믿음이다.

좋은 남편상이 정해져 있는 것은 아니다. 아내가 평가위원이고 심사위원이므로 아내가 좋은 남편이라고 인정하면 좋은 남편이다. 아내가 원하는 좋은 남편이란 어떤 사람일지 생각해보자. 그리고 다음에 소개하는 좋은 남편 10계명을 참고하여 나만의 좋은 남편 10계명을 만들어보자.

좋은 남편 10계명

1. 아내를 있는 그대로 존중하자
2. 사랑과 감사를 말과 행동으로 자주 표현하자
3. 아내와 함께하는 시간을 즐기자
4. 집안 문제를 아내와 상의해 결정하자
5. 아내 얘기를 경청하고 공감하자
6. 가사를 분담하자
7. 자녀 양육에 한 팀이 되어 동참하자

---

8. 처가 식구를 챙기고 베풀자

9. 아내의 욕구를 읽고 배려하자

10. 부부 공동의 꿈을 가꾸자

2

나를 알고
아내를 알기

있는 그대로 존중하자

부부나 가족의 문제와 관련된 일을 하는 내 직업상, 주례를 많이 서는 편이다. 그중에서 가장 기억에 남는 주례를 꼽는다면 중년 남성과 그의 딸을 위해 섰던 주례이다. TV 프로그램에서 만난 남성의 재혼 결혼식에 주례를 서주었는데, 당시 고 3이었던 딸이 장성하여 결혼할 때 다시 주례를 선 것이다. 나는 매번 똑같은 주례사를 하지 않고 부부로 탄생하는 두 사람의 행복한 결혼 생활을 기원하며 맞춤식으로 준비한다. 그러나 공통적으로 빼놓지 않고 강조하는 것이 하나 있다. 배우자를 '있는 그대로 존중하라'는 당부이다. 중년 남성의 재혼 결혼식과 그 딸의 결혼식 때도 그들의 이야기에 맞게 다른 주례사를 하면서도 그 말만은 잊지 않았다.

한 여자를 아내로 맞는다는 것은 그녀가 가지고 있는 장점과 재능, 자원만 선택하는 것이 아니다. 그녀의 단점, 결점, 부끄러워하는 점, 문제점, 그리고 그녀의 가족이 가지고 있는 한 보따리의 문제까지도 동시에 선택하는 것이다. 그런데도 내가 기대했던 것을 아내가 충족시켜주지 못하고 결혼 생활이 생각했던 대로 가지 않으면 끊임없이 불평하고 원망하고 비난하는 사람들이 있다. 그리고 아내를 뜯어고치려고 온갖 방법으로 에너지를 쏟아붓는다. 그러나 사람에게는 바꿀 수 없는 부분도 있고 바꿀 필요가 없는 부분도 많다. 한 사람의 기질이나 성격, 과거는 바꿀 수 없다. 그 사람의 사소한 습관, 취향, 기호는 바꿀 필요가 없다.

결혼 전에는 나와 다른 그녀에게 묘한 매력을 느낀다. 그 점에 반해 평생을 함께하자고 약속했으면서도 결혼하면 바로 그점 때문에 싸운다. "내가 옳고 너는 틀렸다"며 가르치고 잔소리를 한다. 아내는 당연히 반발하고 거부한다. 결혼 전엔 왜 그런 면이 보이지 않았는지 기가 막힌다. 이유는 간단하다. 연애할 때는 눈에 콩깍지가 씌어서 좋은 것만 보였으니까. 설사 문제가 있다는 걸 알았다 해도 대수롭지 않게 여기고 결혼만 하면 내가 다 바꿔놓을 수 있다고 자신만만해했을 것이다. 그러나 한 사람을 바꾼다는 것은 산 하나를 옮기는 것만큼 어려운 일이다. 그녀의 유전자, 가치관, 가족문화,

30~40년의 경험, 기억, 감정, 이 모든 것의 총합인 그녀를 어떻게 몇 년 만에 바꿀 수 있겠는가.

완벽한 아내는 없다. 완벽한 결혼 생활도 존재하지 않는다. 완벽한 결혼 생활을 고집하는 것은 이혼으로 가는 지름길이다. 차이점이 곧 문제인 양 그것을 뜯어고치려고 덤비면 불행이 시작된다. 갈등이나 문제가 있고 없고가 중요한 게 아니라, 문제를 어떻게 조절하고 해결해나가느냐가 더 중요하다.

결혼 후 2년 정도는 두 사람이 서로 '적응'해가는 시기이다. 연애나 동거를 아무리 오래 했어도 결혼 생활을 시작하면 상황이 전혀 달라진다. 두 사람의 성격이나 생활 습관, 돈 씀씀이, 양가 가족, 성생활 등 적응해야 할 것이 한두 가지가 아니다. 아이를 낳으면 부모 역할에도 적응해야 한다. 그런 과제를 원만하게 수행하려면 첫 단추를 잘 꿰어야 하는데 그 기본은 배우자를 있는 그대로 존중하는 일이다.

정말 아내를 사랑하고 행복한 결혼 생활을 원한다면 아내를 있는 그대로 존중하자. 음식 솜씨가 조금 없어도, 옷 입는 스타일이 마음에 안 들어도, 정리정돈을 잘하지 못해도, 재테크에 소질이 없어도, 있는 그대로 받아들이고 존중하자.

모든 게 아내 탓은 아니다

살다 보면 여러 가지 문제로 아내와 갈등하고 싸우게 된다. 그런데 모든 게 아내의 성격 탓이라고 단정하는 것만은 삼가야 한다. 남편이 술 마시고 늦게 들어가거나 연락을 하지 않으면 화를 내는 아내가 있다. 어렵게 사회생활을 하는 수고도 모르고 남편에게 가시 돋친 말을 퍼붓고 친정과 시집에 일러바치는 아내도 있다. 그렇더라도 '성질 더러운 여자'라고 비난부터 하는 것은 위험한 태도이다. 술 문제가 없을 때는 아내가 화를 내지 않았다면, 또 술 마시고 속을 썩여도 내가 먼저 사과했을 때 아내의 태도가 부드러웠다면, 그것은 술 때문에 생긴 사달이다. 그런데 술 마시고 아무 연락 없이 늦게 들어간 게 별문제 아닌 듯 모든 걸 아내의 성격 탓으로 돌려버리고 사사건건 '성질이 못돼서'라고 못박아버리면 관계는 점점 더 악화된다.

문제가 계속 꼬이고 아내와 하루가 멀다 하고 싸우는데 애들까지 말을 안 들으면 모든 게 아내 때문이라는 생각에 사로잡힌다. 그리고 '여자 하나 잘못 만나 인생 꼬여버렸다'고 결론짓는다. 문제를 아내 탓으로 돌리면 내가 책임질 일도 없고 자책할 일도 없으니 얼마나 속편한가. 그러나 자신은 아무런 노력도 하지 않고 아내에게만 화살을 돌려버리면 아무것도 해결할 수가 없다.

부부관계란 살아 있는 생명체처럼 끊임없이 서로 영향을 주고받으며 이어진다. 아내의 태도와 반응은 다분히 내 행동과 반응에 대한 작용과 반작용임을 잊지 말자. 연애할 때 그렇게 상냥하고 다정했던 아내의 모습은 존중과 배려의 유쾌한 상호작용의 결과였음을 알아야 한다.

C는 얼마 전 부부싸움을 하면서 아내의 행동 때문에 엄청난 충격을 받았다. 아내를 처음 만났던 시절, 아내는 천생 여자였다. C가 바라던 이상형이었다. 말도 조곤조곤하고, 먹는 것도 조심스럽게 먹고, 화장실 가는 것도 부끄러워하던 여자였다. 그런데 그날 온몸을 부들부들 떨며 욕설을 내뱉고 더럽고 추잡한 인간의 욕정에 대해 얘기하는 것은 20년간 한 번도 보지 못한 모습이었다. 마치 인간이 아니라 짐승을 보는 것 같았다. 온갖 정이 떨어져 이혼하기로 마음먹었으나, 마지막 부탁이라는 아내의 간청 때문에 상담실을 찾았다.

C는 아내의 놀라웠던 언행과 욕설만 떠오르지 자신이 어떻게 반응하고 무슨 말을 했는지는 전혀 생각나지 않았다. 그런데 상담실에서 아내의 얘기를 통해 기억해낸 자신의 행동과 언사도 믿기지 않았다. 고래고래 고함을 치면서 흡사한 마리의 짐승처럼 날뛰며 손에 잡히는 대로 물건을 내던지고 부수었다는 것이다. 한마디 대꾸라도 하면 자기를 죽일

것 같았다고 아내는 얘기했다. 그런데 다른 날 같으면 겁이 나서 아내가 납작 엎드렸을 텐데, 그날은 아내에게 뭐가 씌었는지 죽이려면 죽여보라는 태도로 한술 더 떠 C 역시 겁이 덜컥 났던 게 생각났다.

연애할 때는 자신이 먹고 싶지 않아도 아내가 원하는 대로 스파게티를 먹고, 겨울에 내복을 입지 않았어도 아내에게 외투를 벗어주었으며, 아내가 약속 시간에 늦어도 괜찮다고 다 받아주던 C였다. 그러나 언젠부턴가 아내가 여자로 보이지 않았고, 남에게는 그렇게 깍듯이 예의를 차리면서도 아내는 수시로 무시했다. 그날 아내가 쌓이고 쌓였던 불만을 몇 마디 터뜨린 것뿐인데 이제껏 그래왔던 것처럼 C는 자신의 잘못은 조금도 시인하지 않으면서 아내를 또 몰아붙였다. 그러자 아내도 함께 폭발해버린 것이다. '20년 가까이 그렇게 더러운 생각을 하고 살았단 말인가' 싶은 얘기까지 거침없이 쏟아내는데 이 사람이 내 아내가 맞나 의심스러웠다.

아내의 폭언을 듣고 C도 통제가 되지 않았다. 악마나 사탄이 시키는 것처럼 자신의 의지와는 상관없이 온갖 추잡한 말과 더러운 욕설이 터져나왔다. 흡사 '더러운 빨래감 꺼내기 게임'이라도 하는 것 같았다. C가 한 가지를 들추면 아내가 맞받아 또 한 가지를 들고 나오고, 아내의 또 다른 폭로에 C도 질세라 비열한 지적질을 계속했다. 한 사람이라도 자제

했으면 그 정도까지는 안 갔을 텐데 마주 달리는 폭주 기관 차처럼 멈출 줄을 몰랐다. 그때 현관 인터폰이 울리지 않았다면 어떤 일이 벌어졌을지, C는 생각만 해도 아찔했다.

부부는 다시는 그런 일이 발생하지 않도록 몇 가지 규칙을 세웠다. 언성부터 높아지며 물건을 집어던지는 버릇이 있는 C였기에 아내는 '남편의 언성이 높아지면 무조건 맞서는 것을 피한다'는 규칙을 정했다. C 또한 '아내가 분을 참지 못하고 온몸을 부들부들 떠는 낌새가 보이면 무조건 자리를 피한다'는 원칙을 세웠다. 두 사람이 함께 지켜야 할 규칙은 '사태가 어떻게 치달을지 몰라 한쪽이라도 스톱 사인을 보내면 지체 없이 부부싸움을 중지한다'로 합의했다. 규칙을 만드는 동안 두 사람은 벌써 화해를 바라는 얼굴이었다.

똑같은 싸움을 십수 년 해도 문제가 안 풀리면 다른 관점에서 해결의 실마리를 찾아야 한다. 자물쇠가 잘못된 줄 알았는데 열쇠가 문제인 경우도 있다. 그런데 자기가 만든 사고의 틀에 갇혀버리면 이해력이나 판단력이 제대로 작동하지 않기 때문에 상대의 입장을 헤아리지 못한다.

일주일에 한 번씩 자신의 부모님을 찾아뵙고 인사드리는 것은 며느리가 의당 해야 할 일이라고 K는 생각했다. 그러나 두 달 전 그 문제로 아내와 대판 싸우고 난 뒤 심각한 혼란에 빠졌다. 결혼하고 10년 가까이 아내가 한 번도 이의를 제기한 적이 없었고, 조금도 의심 없이 아내도 부모님 찾아뵙는 것을 좋아하는 줄 알았다. 그런데 얼마 전 회사 일 때문에 장모님 칠순 잔치에 참석하지 못한 게 화근이었다. 그다음 주 아내가 심한 몸살감기로 아프다고 하는데도 "부모님 댁에 잠깐 다녀와서 쉬면 안 되냐"고 한 것이 아내의 분노에 불을 지폈다. "일주일에 한 번씩 꼬박꼬박 시부모님 찾아뵙고 식사 챙겨드리는 것은 너무나 당연하게 생각하면서 어떻게 하나밖에 없는 장모의 칠순잔치에 빠질 수 있느냐?"고 아내는 소리를 질렀다.

여러 차례의 상담을 통해 K는 아내에게 가졌던 지나친 기대, 비현실적인 기대가 문제였다는 사실을 깨달았다. 그리고 주변 친구들로부터도 요즘 세상에 일주일에 한 번씩 시부모님 찾아뵙는 며느리가 몇이나 되느냐는 핀잔을 들은 뒤 K의 태도에 변화가 찾아왔다. 상담실에서 K가 진심어린 고마움과 사과가 담긴 편지를 낭독하자 아내의 눈물보가 터졌다.

배우자에게 갖는 바람은 좋은 가정을 이루기 위한 자연스러운 소망으로 삶의 건강한 원동력이 된다. 반면에 '반드시 ~해야 한다'는 형태로 표현되는 '당위적인 요구'는 강제성을 띤다. 그리고 상대방이 그에 부응하지 못하면 실망, 좌절, 배신 같은 감정과 함께 마음의 상처를 받는다. 그뿐 아니라 상대방에 대해 분노, 적개심, 질투를 느끼고 폭력을 휘두르게 되어 파괴적인 결과를 가져온다. 부부 사이에 '당위적인 요구'는 결국 실현되기 어려운 것이어서 필연적으로 절망적인 상황을 초래하고 삶을 피폐하게 만든다.

타인에 대한 당위적인 요구뿐 아니라 자신에 대한 당위적 요구도 위험하다. '나는 뭐든지 남들보다 더 뛰어나야 한다', '나는 언제나 칭찬과 인정을 받아야 한다. 그렇지 않으면 나는 무능하고 쓸모없는 인간이라는 생각에 참을 수가 없을 것이다' 등 자신을 몰아붙이는 생각은 언젠가 도를 지나쳐 스스로를 파괴시킨다. 더 나아가 사회에 대한 당위적 요구 또한 원하는 대로 되지 않을 경우 분노를 느끼고 원망과 저주를 하게 된다. 이를테면 '우리 사회는 항상 공정하고 정의로워야 한다', '세상은 반드시 내가 옳다고 생각하는 대로 돌아가야 한다. '언제나 내가 노력한 만큼 충분한 보상을 받아야 한다' 같은 생각은 언뜻 건전한 것 같다. 하지만 판단의 기준이 주관적이어서 갈등을 빚을 가능성이 크다. 건강한 바람과 소망, '당위적 요구'는 전혀 다른 것임을 명심하자.

그럼에도 불구하고 내가 할 수 있는 것

좋았던 시간이 단 한 번도 없었던 것처럼 암담하고 절망적일 때가 있다. 하지만 그런 때마저도 잠깐이나마 평안한 순간이 찾아오고 가끔은 서로를 바라보며 웃는 순간도 있을 것이다. 그 예외적인 상황에서는 서로 어떻게 행동하고 반응하는지, 극도로 험악하게 싸울 때와의 차이점은 무엇인지 살펴보자.

"도대체 대화가 전혀 안 돼요. 남의 말은 듣지도 않고 자기 말만 합니다"라고 얘기하지 말자. "가끔은 말이 통할 때도 있어요"라고 얘기하자. 그게 훨씬 더 희망적이다. 부정적인 문제에 초점을 맞추지 말고 긍정적인 면에 초점을 맞추면 출구가 보인다.

아내 탓만 하지 말고 나 자신에게 집중하면 내가 할 수 있는 일이 보인다. 마음이 조금은 편해질 수 있는 방법도 떠오른다. 내 행복을 아내가 책임질 수 없고 아내의 행복을 내가 책임질 수 없다. 내 행복은 내 책임이다. 박 터지게 싸우느라 내가 행복해지기 위해 무엇을 할 수 있는지, 무엇을 해야 하는지는 생각조차 못 해본 건 아닌지 돌아보자.

아내를 통해 모든 것을 얻으려고 해서는 안 된다. 오직 결혼 생활에서만 나를 만족시킬 수 있는 것도 아니다. 친구나 취미 생활을 통해서, 무언가를 배우는 즐거움이나 일에 대한 성취감을 통해서, 부모 형제들의 도움을 통해서도 삶의 즐거움을 찾을 수 있다. 단, 다른 여성에게서 성적인 욕구를 해소하려는 시도는 삼가야 한다. 부부관계에 치명적인 상처를 남기고 가족이 해체되거나 파멸의 길로 들어설 수도 있다.

아내 입장에서도 마찬가지이다. 남편이 술을 마시기 때문에 잠도 못 자고, 생활비도 모자라고, 애도 말을 더 안 듣고, 되는 일이 하나도 없다고 술 마시는 남편에게 모든 죄를 뒤집어씌우면 술 문제는 절대 해결되지 않는다. 남편은 남편대로 "다 너 때문에 술 마시는 거야. 너 꼴 보기 싫어 더 늦게 들어오는 거고. 너 때문에 되는 일이 하나도 없다"고 나올 것이다. 남편이 술 마시고 늦게 들어와도 먼저 잘 수 있다. 남편이 취해서 코를 고는 통에 잠을 못 잔다면, 술을 마시고 들어온 날 남편을 거실이나 딴 방에서 자도록 합의를 볼 수 있다. 술값 때문에 생활비가 모자라면 다음 달 남편 용돈을 줄이는 방안을 생각해보자. 술 마시지 않고 일찍 들어와 애 씻기고 놀아주는 날엔 고맙다는 인사도 해보자. 아이 유치원에 보내고 시간 여유가 있으면 친구도 만나고 영화도 한 편 보러 가자. 나 자신을 위한 선물을 하나씩 마련하듯 나의 행복 리스트를 조금씩 늘려나갈 수 있다. 서로 헐뜯고 상처 주면서 더욱 비참한 늪으로 빠질 것인지, 아예 이혼을 해버릴지, 아니면 더 이상은 배우자와의 문제로 삶이 고통스럽지 않도록 '내가 할 수 있는 것'을 찾을지 잘 판단해볼 일이다.

자신을 정확히 이해하자

결혼한 지 20~30년 가까이 되어 문득 '아내에 대해서 난 무엇을 알고 있을까?' 의문이 들 때가 있다. 아내의 모든 걸 다 안다고 생각했는데 당황스럽다. 아니, 아내는 제쳐두고 나 자신에 대해서도 잘 모르겠다……. 이런 경험 해본 사람 많을 것이다.

행복한 결혼 생활은 나를 먼저 제대로 아는 것부터 시작해야 한다. '유독 그 문제에 대해서 내가 왜 그렇게 예민하게 구는 걸까? 충족되지 못한 나의 욕구는 무엇일까? 치유되지 않은 나의 상처는 뭔가?' 나 자신을 모르면 근원을 알 수 없는 갈등과 불화로 부부는 지쳐간다. 결혼 생활이 피폐해지는 것이다.

아내를 제대로 알려면 나 자신부터 정확히 이해해야 한다. 그러나 자신을 너무나 잘 알고 있다는 사람들도 아내에 대해서는 무지한 경우가 많다. 부부 교육을 하면서 배우자에 대한 이해를 돕는 방법으로 '애정 지도'를 작성해보라고 하면 대부분 어려워한다. 아내가 좋아하는 것, 싫어하는 것, 두려워하고 걱정하는 것, 그리고 스트레스를 받는 일, 과거의 상처, 아내의 소망이나 꿈, 좋아하는 음식이나 음악, 가장 좋아하는 사람이나 싫어하는 사람, 남편에게 바라는 것 등 일상적인 내용인데도 난이도 높은 시험을 보는 것처럼 끙끙거린다.

'애정 지도'란 배우자의 일상과 내면, 삶과 관련한 모든 정보를 머릿속에 그려보는 것이다. 배우자에게 애정이 깊고 강할수록 도면이 정확하고 상세하다. 아내에 대한 최신판 애정 지도(정확한 지식과 정보)를 가지고 있으면 행복한 결혼 생활을 해나가는 데 큰 도움이 된다. 아내에 대한 정보가 풍부해지고 이해가 깊어질수록 행복한 부부 생활을 하기에 충분한, 일종의 인지적 공간이 만들어진다. 배우자에 대한 애정 지도를 작성하는 일은 자기 자신의 내면세계를 탐색할 수 있는 좋은 기회가 된다. 서로의 애정 지도를 작성해보고 수시로 업그레이드해보자.

여성들의 심리에 대해 공부하는 자세도 필요하다. 생리전 증후군이나 갱년기 증상을 정확하게 알고 있으면 아내를 이해하는 데 도움이 된다. 갱년기 증상으로 힘들다는 아내의 얘기에 "다른 여자들도 다 겪는 일인데 왜 그렇게 유난을 떨어?"라며 면박을 주거나 엄살하지 말라고 핀잔을 주면 돌아오는 반응이 고울 리 없다. "신경성이야. 당신이 예민해서 그러니 제발 신경 좀 꺼", "내가 뭐랬어? 병원에 가보라고 그랬잖아"라고 큰소리까지 치면 분위기는 더욱 악화된다.

여성들은 보통 45~55세쯤 갱년기를 맞는데 난소 기능이 저하되면서 여성 호르몬 분비량이 급격하게 감소한다. 난소 기능은 노화뿐만 아니라 가족력이나 스트레스 또는 고혈압이나 당뇨 때문에도 저하된다. 가장 괴로운 것은 얼굴이 수시로 화끈거리고 식은땀이 나며 가슴이 두근두근하는 증상이다. 수면장애, 뼈와 근육의 통증, 성교 시 불편감 등도 많이 겪는 증상이다. 기분 변화가 극심하고 예민해져 신경질적이 되고 불안과 우울, 건망증 등으로 괴로워한다. '갱년기를 핑계로 나에게 거짓말을 하는 게 아닌가' 의심하는 남편도 있다. 그러나 그런 증상들을 정확히 알고 아내의 심정에 공감하면서 집안일을 분담하거나 배려를 해준다면 부부관계는 한결 부드러워진다.

"우리는 안 돼, 이미 글렀어"라고 단정하고 지레 포기해버리면 상황은 점점 나쁜 쪽으로 치닫는다. 부부관계는 하나의 시스템이다. 나의 행동이 변하면 아내와의 관계 패턴이 바뀌고 결국 아내의 행동도 변한다. 부부 사이에 부정적인 관계 패턴이 있다면 자신이 먼저 그 도미노를 멈추게 하자.

부부싸움만 하면 집을 나가 취하도록 술을 마시고 들어오는 남편이 있었다. 싸움의 발단은 까맣게 잊고 술주정을 하다 더 큰 싸움이 벌어지고, 급기야는 이혼 소송 직전까지 간 적도 있다. 부부싸움 끝에 남편이 집을 나가 술을 마시고 새벽에 들어오면 아내의 분노는 극에 달했다.

"저 남자는 나가서 술이나 퍼마시면 되지만 저는 집에 갇혀 버림받은 느낌이에요. 콱 죽어버리고 싶어요."

상담실을 찾은 아내는 하소연했다. 아이들 밥도 챙겨야 하고 남편의 술주정에도 시달려야 하니 문제가 더욱 악화되기만 한다고 했다. 상담을 통해 남편은 아무리 화가 나도 집을 나가는 일만은 하지 않겠다고 약속했다. 그러자 아내도 약속했다. 화가 난 남편이 집에서 술을 마시더라도 그것만큼은 문제 삼지 않겠다고. 남편은 약속을 지켰고, 부부 문제를 개선해보려는 남편의 의지가 고마워 아내도 마음을 열었다.

습관처럼 집을 나가 술에 취해 들어오면 문제해결은커녕 문제가 더욱 심각해졌던 과거를 알기에 남편이 먼저 변화를 주도한 성공 사례였다.

3
함께하는 것의 중요성

엇박자 부부

"젊어서 남편은 친구 좋아하고 취미 생활 즐기느라 집에 붙어 있는 날이 별로 없었어요. 저는 나돌아 다니는 것을 싫어하는 데다 집안 살림하고 아이들 뒷바라지하느라 늘 따로 지내는 거나 마찬가지였죠. 하지만 명예퇴직을 하더니 남편은 이제 집에서 제 뒤꽁무니만 따라다녀요. 그런데 아이들 대학 다 보낸 뒤 나도 내 시간을 즐기느라 요즘 남편과 함께할 시간이 없어요. 남편은 등산, 자전거, 외식을 좋아하고 저는 영화 감상이나 음악, 화초 가꾸기를 좋아하니 공통분모가 없지요. 함께 있으면 자꾸 싸우게 돼 각자 다니니 너무 편해요. 그렇게 지낸 지 오래됐어요. 이제 무늬만 부부지요 뭐."

50대 중반의 '엇박자 부부' 얘기이다. 안타깝게도 많은 부부들이 이렇게 엇박자로 산다. 바깥으로만 나돌던 남편이 은퇴 후엔 집에서 연속극 보고 손자 손녀와 함께 노는 것을 즐기는 경우도 많다. 하지만 아내들은 바깥 활동에 빠져 시간 가는 줄 모른다. 남편이 일 중심, 친구 중심, 취미 생활과 술 중심으로 살 때 아내는 자식 중심, 남편 중심으로 살다가 이제는 관심의 방향이 바뀌어버린 것이다. 그것을 호르몬의 변화로 설명하는 학자도 있다. 남편은 여성성이, 아내는 남성성이 증가해 이성으로서의 매력을 상실한 지도 오래이다. 그러다 자녀들이 결혼해 집을 떠나면 공통의 화제마저 사라져 더욱 냉랭해진다. 사소한 일로 싸우다 각 방 쓰고 그것이 장기전으로 이어지면 황혼이혼으로 연결되기도 한다.

함께하는 시간을 즐기자

화목한 부부들은 함께하는 일에 가치를 두고 그 시간을 즐긴다. 즐거웠던 기억과 아름다운 추억이 많은 부부들이다. 함께하는 시간이 많지 않아도 같이하지 못하는 아쉬움을 자주 표현한다. 사람마다 즐거움의 욕구가 다르지만 부부가 같이 즐길 수 있는 취미나 운동을 한두 개 정도 가지고 있으면 좋다. 모든 것을 부부가 함께해야 하는 건 아니지만 개인 활동이 지나치게 많으면 갈등이나 불화가 깊어진다. 혼자만의 여가에 지나치게 많은 돈과 시간을 써버리면 부부가 함께하는 활동에 쓸 시간과 돈이 부족해진다. 당연히 싸움이 잦아지고 결혼만족도가 떨어진다. 게다가 스트레스를 해소한다며 일탈에 가까운 유흥이나 음주가무에 빠지면 부부관계는 위기를 맞는다.

부부가 시간을 함께 보낸다고 해서 무조건 바람직한 것은 아니다. 오히려 주 5일 근무제가 확대돼 부부가 함께하는 시간이 늘면서 부부싸움이 늘었다는 사람들도 많다. 남편의 은퇴와 함께 아내의 스트레스 강도가 높아져 몸이 자주 아프거나 신경이 날카로워지는 '은퇴남편 증후군'도 그런 예 중의 하나이다. 추석이나 설 등 명절 이후에 부부 상담이 증가하고 이혼율이 높아진다는 사실도 이를 뒷받침한다. 같이 붙어 있는 시간이 많다 보면 갈등의 소지나 마찰의 위험이 높아진다. 얼마나 많은 시간을 함께 보내느냐보다는 얼마나 양질의 시간을 함께 보내느냐가 더 중요하다.

여가활동을 상호작용 정도에 따라 공유활동, 병행활동, 개별활동으로 나눈다. 부부가 함께 TV를 보거나 음악을 듣는 '병행활동'도 좋다. 하지만 최소한의 상호작용만 이루어지는 병행활동보다 높은 수준의 상호작용과 활발한 의사소통이 일어나는 공유활동을 권하고 싶다. 예를 들면 부부가 탁구나 배드민턴을 함께 치거나 맛있는 음식을 먹으며 대화를 나누고, 두런두런 얘기하면서 함께 걷거나 가볍게 등산을 하는 활동

등이다. 미국 미시간대학교 교수 마사 힐Martha Hill은 부부의 공유시간이 5년 후 그들의 결혼안정성을 예측할 수 있는 중요 요인임을 발견했다. 그는 부부의 공유시간이 주당 1.7시간에서 4.9시간으로 증가하면 5년 이내에 이혼할 가능성이 반으로 준다는 결과를 제시했다. 부부의 공유활동과 결혼만족도 간의 긍정적인 관계를 증명하는 데 실패한 연구가 단 한 건도 없을 만큼 부부가 함께하는 시간은 대단히 중요하다.

짧은 즐거움이나 쾌락, 즉각적인 보상을 주는 '캐주얼 여가'가 있는가 하면 어느 정도의 지식이나 노력, 기술이나 훈련을 요구하는 진지한 여가도 있다. 어떻게 시간이 흐르는지도 모르고 다른 것에는 관심 없이 지금 하고 있는 일에 푹 빠지는 것을 '몰입'이라고 하는데, 병리적인 도박이나 쇼핑중독, 약물중독과는 다르다. 몰입은 즐거움을 느끼는 단계에 이르기까지 능동적인 노력, 즉 '시동 에너지'가 필요 없는 수동적인 여가활동과도 구분된다. 부부가 몰입할 수 있는 건강한 취미 생활이나 운동을 함께하고 있다면 행복한 부부임에 틀림없다.

감정통장에 꾸준히 저축하자

부부가 함께하는 시간을 즐기려면 평소에 친밀감과 유대감을 다져놓아야 한다. 그러기 위해서 부부의 감정통장에 꾸준히 저축을 해두자. 상대를 미소 짓게 하는 행동이나 말은 감정통장에 긍정적인 감정이 쌓이게 하지만, 상대를 할퀴고 상처주는 행동이나 말은 감정통장의 잔고를 바닥나게 한다. 아내의 생일 그냥 지나치기, 연락 없이 외박하기, 처가 식구들 험담하기 등은 통장에서 목돈을 빼내가는 격이다. 반대로 설거지하고 음식 쓰레기 버리기, 시댁 식구들 앞에서 아내의 든든한 울타리 되어주기, 아내가 만들어주는 음식 맛있게 먹고 아낌없이 칭찬하기 등은 감정통장을 두둑하게 채우는 일이다. 아내에게 잘해주는 것도 중요하지만 아내가 정말 싫어하는 '짓'을 안 하는 것도 잔고를 늘리는 비결이다.

행복한 부부, 화목한 부부는 끊임없이 서로에게 '다가가기'를 시도한다. 불행한 부부는 다가갈 생각도 하지 않을뿐더러 다가오는 것을 눈치채지 못하거나 외면해버리며 시비까지 건다. 다가가는 방법은 부부마다 다를 수 있고 다양하다. 먼저 말 걸기, 미소 짓기, 먼저 사과하기, 손잡기, 팔짱 끼기, 칭찬하기, 고마운 마음 전하기 등. 그런데 친밀감을 나타내는 시도를 구속하려는 것으로 오해하면 다가가기가 쉽지 않다. 밖에서 받는 스트레스를 집에까지 끌어들이는 것도 삼가야 한다. 아내를 경쟁 상대로 생각하거나 늘 문제 해결식의 대화로 토론하듯 접근하는 것, 정서적인 불안과 피로도 다가가기를 가로막는 걸림돌이다.

부부가 아무리 사랑해도 서로의 취향과 욕구는 다르다. 취미 생활을 함께하는 것도 좋지만 아내의 취미를 인정해주고 재미있게 취미 활동을 할 수 있도록 지지해주는 것도 훌륭한 남편이 되는 지름길이다. 자신의 욕구가 충족되면 아내도 남편의 욕구를 배려하는 여유가 생겨 부부만족도가 높아진다.

마라톤에 푹 빠진 남편이 있었다. 그의 아내 말을 빌리면 마라톤에 미쳤다고 했다. 아무리 건강을 위해서 하는 운동이라지만 해도 해도 너무 한다는 것이다. 남편은 남편대로 불만이 많았다. 술을 마시는 것도 아니고 도박을 하는 것도 아니다. 아내를 때리거나 외도를 하지도 않는다. 그런데 좋아하는 운동 하나 못 하게 하니 도대체 어떻게 살라는 거냐며 언성을 높였다. 하지만 매주 마라톤 동호회 정기모임에 가고, 주중에는 매일 저녁 연습하러 나가고, 동호회 총무까지 맡아 각종 경조사까지 챙기는 통에 아내는 남편 얼굴 보기도 힘들었다. 집에는 마라톤 운동화가 십여 켤레나 되고 각종 마라톤 관련 용품이 가득하다. 체력 관리를 한다며 무슨 보조식품을 그렇게 사들이는지 생활비에도 적신호가 켜졌다. 마라톤 대회에 나갔다 오면 여기가 아프다 저기가 쑤신다, 걸어다니는 종합병원이다.

상담실에서 부부를 만났다. 남편이 좋아하는 마라톤을 그만두게 하는 것이 목적이냐고 아내에게 물었다. 당연히 아니라고 했다. 남편에게는 삶의 목표가 마라톤 선수가 되는 거냐고 물었다. 당연히 아니라고 했다. 그래서 남편이 마라톤을 즐기면서도 부부가 더 이상 싸우지 않는 방법을 찾아보자고 제안했다. 일단 마라톤 동호회 정기모임에는 참석하지만 연습모임에는 빠지기로 했다. 총무 자리도 임기가 끝나면 내려놓기로 약속했다. 마라톤으로 지출하는 돈은 한 달에 15만 원을 넘기지 않고 그 이상은 남편 용돈으로 충당하기로 합의했다. 그러자 아내도 마라톤 대회 때 아이들과 나가서 응원도 하고 사진도 찍어주겠다며 미소를 지었다. 모임에 나갈 땐 간식도 챙겨주고 남편이 약속을 어기지 않는다면 마라톤에 대해 일절 문제 삼지 않겠다며 합의문에 서명했다.

아내가 자신의 마라톤 사랑을 이해하고 지지해주니 남편은 기가 살았다. 기록에 연연하다 무리를 한 뒤 병원에 가는 일도 크게 줄었다. 부부 사이도 좋아지면서 가정에서의 안정감과 화목한 시간을 즐기게 되었다.

'따로 또 같이'의 전략

부부라고 해서 모든 활동을 반드시 함께해야 하는 것은 아니다. '따로 또 같이'의 지혜를 발휘해보자. 배우자 없이 혼자서도 잘 놀고 즐겁게 지낼 수 있는 능력은 훌륭한 자산이다. 요즘은 각방을 쓰고 휴가를 따로 즐기는 '독립부부'도 있다. 각방을 쓰는 건 잠자리나 조명, 온도, 소음에 대한 선호가 다를 수 있기 때문이다. 서로의 차이를 존중하고 잘 조정하며 살고 있다면 성숙한 부부이다.

요즘 '혼밥', '혼술', '혼영'이 유행이다. 아내가 없으면 아무것도 못 하고 반찬을 미리 만들어놓아도 차려먹지 못하는 남편은 아내에게 짐이 되기 쉽다. 누군가와 어울리지를 못해 할 수 없이 혼밥을 하는 게 아니라면 조촐한 식사를 나 혼자 즐기는 연습도 해볼 만하다. 영화 취향이 다르거나 부부 중 어느 한쪽이 영화를 싫어한다면 "당신 때문에 보고 싶은 영화도 못 본다"고 원망만 할 게 아니다. 혼자서 즐겁게 영화 보고 온 뒤 배우자에게 더 잘하면 된다.

가능하면 부부가 한방을 써야겠지만 특수한 상황에서는 각방을 쓰는 것도 나쁘지 않다. 아내가 몸이 안 좋아 예민하거나 남편의 코골이가 심한 경우, 교대근무나 늦은 귀가, 이른 아침 출근으로 생활 패턴이 맞지 않을 경우엔 오히려 각방을 쓰는 것이 갈등을 막아준다. 그러나 혼자만의 시간을 즐기는 것도 좋지만 둘이 함께하는 즐거움으로 깊은 교감을 나눌 수 있다면 그것이야말로 이상적인 부부가 아닐까?

4
가사분담의 지혜

가사노동은 과연 누구의 몫인가

다음은 30대 맞벌이 여성의 하소연이다.

아침 5시 50분에 일어나서 남편 깨우고, 남편이 씻는 동안
밥을 차려요. 애가 세 살짜리, 일곱 살짜리 둘인데, 남편이
밥 먹고 출근 준비를 하는 동안 작은애를 먼저 깨우죠. 작은
애 옷 입혀서 근처 친정집에 데려다주고 오면 그때부터는
큰애 뒤치다꺼리를 해요. 저 씻으면서 큰애 씻기고, 서둘러
옷 입히고 유치원 가방 챙겨서 데려다주고 와요.
　여자는 밖에서 회식이 있든 없든, 술을 한잔하든 안 하든
집에 오면 애들 씻겨 재워야 하고, 그러고 나서도 집안일은
그대로 남아 있잖아요. 그런데 남편은 일찍 들어와도 TV만

보다 자버리고, 술 마시고 늦게 들어온 날은 취했다고 자버리고……. 저희 부부는 종일 서로 몇 마디도 안 하는 것 같아요. 무엇보다 제가 그럴 만한 시간이 없고요.

하루는 둘째 애가 놀이방에서 열감기에 걸렸어요. 도무지 시간이 안 나 일주일 만에야 병원에 데려갔지요. 그랬더니 의사가 "어머니, 애를 이렇게 방치하시면 어떻게 해요? 바로 입원시켜서 치료받게 하세요" 그러는 거예요. 저도 모르게 왈칵 눈물이 쏟아지더라고요. 내가 무슨 부귀영화를 누리겠다고 이러고 사나 싶었죠. 애들도 고생, 저도 고생이잖아요.

퇴근길은 또 한 번의 전쟁이에요. 아침과는 역순으로 태엽을 감죠. 회사에서 지하철역까지 종종걸음을 치고 몇 계단씩 뛰어내려가 간신히 지하철에 몸을 실어요. 지하철에서 내려 버스가 안 오면 택시를 잡아타고 서둘러 집에 오다 보면 장을 볼 시간도 없어요. 배달 음식 전화번호부를 붙들고 살죠. 일주일 내내 배달 음식을 시켜 먹은 적도 있어요.

통계청의 '2016년 일 가정 양립 지표'에 따르면 맞벌이를 하지 않는 가구의 여성 가사노동 시간은 6시간 16분인데 반해 남성은 33분밖에 되지 않는다. 그런데 맞벌이를 하는 가구의 남성 가사노동 시간도 40분 정도밖에 되지 않는다. 2018년 지표에서도 크게 나아진 부분은 없다. 59.1퍼센트가 가사를 공평하게 분담해야 한다고 응답했으면서도 실제로 공평하게 분담하는가에 대한 응답은 남편의 경우 20.2퍼센트, 부인의 경우 19.5퍼센트밖에 되지 않았다.

집안일을 아무도 안 한다고 상상해보자. 일주일 넘게 청소한 번 안 하고 쓰레기도 버리지 않아 집이 난장판이다. 식사후 그릇들을 그대로 쌓아둬 음식 쓰레기 냄새가 코를 찌르고 날벌레가 꼬인다……. 누구나 이런 집은 상상조차 하기 싫을 것이다. 사용했던 그릇에 다시 음식을 담고 빨래통에 벗어두었던 옷을 다시 꺼내 입는다고 생각해보자. 저절로 인상이 찌푸려질 것이다.

'최소한의 인간다운 삶을 위해 누군가는 반드시 해야 할 집안일을 왜 꼭 여자가 해야 할까?'라고 의문을 가져본 적이 있는가? 남자는 밖에 나가서 돈 벌고 여자는 집에서 애 키우고 살림하는 것이라는 이분법은 옛말이다. 각자의 능력과 적성에 따라 경제활동도 부부가 함께하고 집안일과 자녀 양육도 합리적으로 분담하는 세상이 되었다.

아직도 밥은 전기밥솥이 하고 청소는 진공청소기가 하며 빨래는 세탁기가 한다고 생각하는가? 미안하지만 오산이다. 집안일이 그렇게 단순하지가 않다. 밥은 전기밥솥이 다 해주는 게 아니다. 반찬 없이 밥만 먹는 것도 아니며, 오늘 무엇을 해먹을까 고민하고 장을 보는 일부터가 '밥하기'에 포함된다.

집에 와서 재료를 다듬어 요리하고 식탁에 차려내는 일, 식사 후 설거지하고 음식물 쓰레기 버리는 일까지가 넓은 의미의 밥하기인 셈이다. 세탁기가 해준다는 빨래도 마찬가지이다. 빨래를 색깔별로 분류하여 빨래통에 넣는 일에서부터 세탁기 돌리기, 다 된 빨래 꺼내서 널기, 걷어서 개기 그리고 다림질하기, 옷을 세탁소에 맡기고 찾아오기, 간단한 단추 달기와 꿰매기, 철 따라 옷장 정리하기까지 모두 누군가 해야 할 일이다. 그렇게 따지면 청소에도 종류가 얼마나 많은가. 진공청소기로 쓱 한번 빨아들이기만 하면 끝나는 게 아니다. 가사분담을 둘러싼 부부 갈등을 해소하고 싸움을 줄이기 위해서라도 이제 남편들이 변해야 한다.

집안일 때문에 사사건건 싸우는 부부가 있었다. 30대 후반의 동갑내기 맞벌이 부부였다. 돈은 같이 벌면서 왜 집안일은 여자가 해야 하느냐며 아내는 따지고 들었다. 남편은 "나처럼 잘 도와주는 남편 있으면 나와보라고 해"라며 고함을 질렀다. 그러면 아내는 "도와준다는 생각 자체가 문제야. 당연히 해야 할 일을 도와준다며 생색내지 마"라고 맞받아쳤다. 똑같은 싸움이 반복되자 아이도 없는데 일찌감치 갈라서는 게 맞지 않을까 고민하다가 남편이 상담실을 찾았다.

애기를 들어보니 가사분담을 하려고 꽤 노력하는데도 아

내의 기대치에 못 미치는 게 문제였다. 하기로 아내와 약속한 일을 번번이 남편이 어겨서 사달이 난 것이다. 먼저, 서로의 소질과 적성에 따라 집안일을 나누었다. 음식 만들기는 아내가, 설거지와 청소는 남편이 맡기로 했다. 일일이 다 나누지 못하는 일들은 가사분담 메뉴얼을 만드는 것으로 해결했다. 커피 한 잔 타주기 2,000원, 쓰레기 버리기 3,000원, 세탁기 돌리기 5,000원, 자동차 실내 청소 3,000원, 구두 한 켤레 닦기 1,000원……. 그렇게 정해놓고 누구라도 그 일을 먼저 하는 사람이 요금을 받기로 했다. 그리고 각자 하기로 한 음식 만들기와 청소, 설거지도 서로 일이 생기면 상대에게 부탁할 수 있는 쿠폰을 발행했다. 사전 예고도 없이 자기 일을 안 하면 1차 경고를 하고, 그래도 안 하면 매번 5만 원씩 벌금을 물기로 합의했다.

처음에는 약속이 잘 지켜졌고 서로 몇 천 원씩 부수입을 올리는 재미에 시키지도 않는 일을 게임처럼 자청하기도 했다. 시간이 지나면서 약속을 어기기도 하고 그때문에 언성을 높이는 일도 있었지만 몰라보게 다툼이 줄었다. 수시로 규칙을 바꾸고 벌칙을 개정해가며 지금은 별 탈 없이 잘 살고 있다.

가족의 평화를 위해 이제 남편도 가사를 분담해야 한다. 아내를 도와준다는 입장이 아니라 당연히 해야 할 일을 한다는 태도로 말이다. 집안일은 아내가 세상을 먼저 떠나면 혼자 살아가는 데도 꼭 필요한 생존 기술이다. 또한 아빠를 보고 자란 아들이 결혼 후 가사분담 문제로 이혼을 당하지 않게 하기 위해서도 아빠가 모범을 보여야 한다. 미래의 며느리는 아내 세대의 여자들과는 전혀 다른 인종이라고 생각하자. 내 아들이 50 대 50의 비율로 가사를 분담해도 지극히 당연한 것으로 여길 세대이다.

효율적인 가사분담 방법

첫째, 효과적인 가사분담을 위해 가사분담표 작성을 권한다. 남자 일, 여자 일로 나누지 말고 각자의 소질이나 취향을 고려해 누가 그 일을 맡을지 정하는 것이다. 가사분담표를 만들었다고 해서 문제가 다 해결되는 건 아니다. 하지만 가사분담표대로 하지 않았을 때의 벌칙까지 부부가 합의할 수 있다면 갈등을 크게 줄일 수 있다.

둘째, 집안일의 기준을 낮추어보자. 깨끗하고 깔끔하게 정리정돈을 하고 사는 것도 좋지만 가사분담 때문에 매번 언성 높이고 얼굴을 붉힌다면 기준을 조금 낮춰 편하게 사는 것도 방법이다. 집은 쓸고 닦고 반짝반짝 윤이 나게 해서 누군가에게 보여주기 위한 모델하우스가 아니다. 그 안에서 가족이 웃으며 도타운 정을 나눌 수 있으면 행복한 집이다.

셋째, 돈의 힘을 빌리자. 조금 여유가 있다면 가사노동의 수고를 덜어줄 수 있는 가전제품을 이용하자. 너무 '자주'가 아니라면 가끔 간단한 외식으로 음식 만드는 수고도 덜고, 다림질이 필요한 옷들을 한 번에 몰아서 세탁소에 부탁할 수도 있다.

넷째, 자녀들에게도 집안일을 분담시키자. 공부만 하면 그저 오냐오냐해서 자기밖에 모르는 아이들로 키우지 말고 가족의 한 사람으로서 집안일도 해야 할 의무가 있음을 가르쳐주는 것이다. 자녀들의 나이에 따라 할 수 있는 일은 얼마든지 있다. 현관의 신발 정리하기, 숟가락과 젓가락 놓기, 식사 후 밥그릇 싱크대에 갖다 놓기, 물 마시고 바로 컵 씻기, 사용한 물건 제자리에 놓기, 자고 일어난 뒤 이불 정리하기, 자기 방 청소하기 등. 가족이 집안일을 나눠서 하고 부모가 당연하게 집안일을 함께하는 가정에서 자란 아들들은 결혼해서도 가사분담에 대해 거부감이 적다. 하지만 손가락 하나 까딱하지 않는 아빠를 보고 성장한 아들들은 결혼 후 가사분담 문제로 부부싸움을 벌일 가능성이 높다. 아이들은 집안일을 돕겠다고 해놓고도 제때 하질 않거나 제대로 해놓질 않아 부모의 화를 돋우기도 한다. 그럴 때 너무 심하게 야단치거나 다그쳐서 부모 자식 간의 관계만 악화시키는 일은 피해야 한다. 집안일을 즐겁게 하고 보람을 느낄 수 있도록 참을성을 가지고 이끌어주는 지혜가 필요하다.

다섯째, 왜 한국 남자들이 집안일을 안 하고 못 하는지를 아내가 알아듣도록 이해시키는 것도 중요하다. '집안일은 여자나 하는 일'이라는 가부장적인 인식이 우리 사회에 아직까지 남아 있다. 그리고 부모가 집안일을 나눠서 하는 모습을 보지 못하고 자란 남자들도 많다. 보질 못하고 안 해봤기 때문에 모르거나 서툴고, 그래서 해주고도 아내에게 좋은 소리를 못 들으니 더 안 하게 되는 악순환이 반복되는 것이다. 귀찮아서 아내가 아예 해달라는 말조차 하지 않는데 알아서 집안일을 찾아서 하는 남편은 극히 드물다. 집안일 하는 아들을 못마땅하게 바라보는 어머니의 눈초리, 친구들의 비아냥거림도 가사분담을 가로막는 걸림돌이다. 또 사회적으로 성공한 남자를 능력이 있는 남자로 보고 집안일을 하는 남자는 못난 남자로 여기는 시선도 문제이다.

이런 배경을 설명해주면 왜 한국 남자들이 집안일을 안 하거나 못 하는지 아내가 이해할 수 있을 것이다. 평소에 하지 않던 집안일이라 아내 마음에 쏙 들기는 어렵다. 그러니 처음에는 좀 친절하게 설명도 해주고 결과가 마음에 안 들더라도 칭찬 한 마디만 해달라고 아내에게 부탁해보자. 대신 아내가 요청하는 일은 바로바로 해주는 민첩성을 발휘해야 한다. 당장 하기 곤란한 일이라면 언제까지 해주겠다고 시간을 정하고 그 약속은 반드시 지켜야 믿음이 생긴다. 아내가 하는 집안일에 수시로 감사를 표현하는 센스도 필요하다. 또 한 가지, 집안일의 가치에 대해 아이들에게 제대로 가르쳐주는 교육도 잊지 말자.

5
부부싸움
전략 세우기

부부싸움은 칼로 물 베기라고들 하지만 부부싸움이 '칼로 살 베기'가 되는 일도 많다. 부부싸움을 하다가 아내를 살해한 남편이 구속되는가 하면, 가스밸브를 열고 불을 지른 방화사건과 분노를 조절하지 못해 고층 아파트에서 뛰어내린 사고도 있었다. 한 부인은, 술 마시고 들어와 폭력을 휘두르며 죽여버리겠다고 위협하는 남편을 잠든 사이 살해했다.

서로 사랑해서 결혼했지만 살다 보면 부부싸움을 피해 갈 수는 없다. 한 번도 안 싸운 부부가 있다면 이제 막 결혼식을 마친 신혼부부이거나 치고받고 물고 뜯는 것만이 부부싸움이라고 생각하는 부부일 가능성이 높다. 부부싸움을 안 하고 살 수 있으면 좋겠지만 부부싸움이 반드시 나쁜 것만은 아니다. 부부싸움을 잘 하면 서로를 아는 데 도움이 되기도 하고 문제를 해결할 수도 있다.

"아니 그게 그렇게 서운했단 말이야?"

"나는 당신이 싫어하는 줄 정말 몰랐어. 당신을 위한다고 한 건데."

"그렇게까지 사고 싶은 줄 알았으면 당연히 사줬지."

이렇게 부부싸움을 통해서 아내의 심정을 이해하기도 한다. 싸우면서 고성이 오가고 냉전 상태가 되기도 하겠지만 그 과정을 거치며 문제의 해답을 찾기도 한다. 무조건 참다가 폭발해버리거나 회피만 하다가 도저히 손을 쓸 수 없을 정도로 문제를 악화시키는 것보다는 잘 싸우는 것이 나은 이유이다.

부부싸움을 통해서 서로가 성장하려면 '부부간의 갈등은 당연하다, 적응해가는 과정의 하나이다'라는 인식이 필요하다. '우리 부부만 이렇게 싸우는 걸까. 더 늦기 전에 이혼하는 게 낫지 않을까' 하고 문제를 확대해서는 안 된다. 별문제 없이 행복하게 사는 것 같은 부부도 닫힌 문 뒤에서는 어떻게 사는지 아무도 모른다. 심지어 안방에서 맨날 지지고 볶으며 사는 부부를 잉꼬부부라며 부러워하는 사람도 있으니 말이다.

부부싸움의 규칙을 만들자

운동경기에 규칙이 있듯이 부부싸움의 규칙을 정하는 것도 효과적이다. 부부가 꼭 지켜야 할 규칙을 살펴보자.

첫째, 그 어떤 경우에도 폭력은 금물이다. 때리고 부수는 것만이 폭력은 아니다. 언어폭력은 표면적으로 상처가 남지 않기 때문에 대수롭지 않게 여기지만 신체에 가하는 폭력보다 오히려 상처가 더 오래 남는다. 실제로 때리지는 않더라도 때리고 던지는 시늉을 하며 위협하는 것, 무기가 될 만한 물건을 들고 협박하는 것 모두가 폭력이며 범죄이다.

둘째, 아이들 앞에서 싸우지 말자. 부모가 싸우는 모습을 본 아이들이 느끼는 공포와 불안은 부모가 생각하는 것 이상이다. '내가 잘못해서 엄마 아빠가 싸우는 걸까? 이러다 나를 버리고 떠나지는 않을까? 저렇게 싸우다 누구 한 사람 죽는 것은 아닐까?' 하는 두려움은 오랫동안 공포와 상처로 남는다. '자라 보고 놀란 가슴 솥뚜껑 보고 놀란다'는 말이 있듯이, 폭력적인 방식으로 부부싸움을 하는 집의 아이들은 TV에서 큰 소리만 나도 깜짝깜짝 놀란다. 결국 소심한 아이, 눈치 보는 아이가 된다. 심한 경우에는 아이들이 부모가 했던 대로 폭력을 휘두른다. 부모가 가르치지 않았어도 눈으로 본 대로 하는 것이다. 청소년기의 학교폭력, 집단따돌림, 가출, 비행, 정신장애, 청년기의 데이트 폭력 등이 그 후유증이라고 할 수 있다.

어릴 때 부모에게 맞고 자란 사람이 부모가 되어 자녀를 자주 때리는 것을 '세대 간 전달'이라고 하는데 이는 심각한 후유증을 남긴다. 가족 안에서 일어나는 인간에 대한 폭력, 착취, 차별, 편견, 증오, 복수심 그리고 적대감 등은 다음 세대로 전이된다. 가족의 이러한 부정적인 영향으로부터 벗어나기란 참으로 어렵다. 어쩔 수 없이 자녀들 앞에서 싸웠다면 아이들에게 상황을 설명하고 잘 달래야 한다. 싸움 직후보다는 감정을 추스른 다음 아이들을 대하는 것이 좋다. 부부싸움을 하고서 자녀들에게 화풀이를 하는 사람은 최악의 아빠이다.

부부의 폭력적인 측면도 자녀에게 전이되지만, 서로 이해하고 배려하며 편안한 방식으로 관계를 맺는 긍정적인 측면도 전이된다. 어려운 문제에 직면했을 때 서로 마음과 힘을 모아 지혜롭고 성숙한 방법으로 문제를 해결하는 방식도 마찬가지이다. 그러나 겉으로는 그렇게 보이는 가족도 실상은 다를 수 있다. 가족은 행복해야 한다는 가족 이데올로기 때문에 부정적인 부분들은 은폐되고 축소되어 외부 사람들에게는 알려지지 않은 채 가족 간의 불화가 오랜 기간 지속되기도 하는 것이다.

셋째, 그 어떤 경우에도 해서는 안 될 말은 하지 말아야 한다. "싸우다 화가 나면 무슨 말을 못 해?", "화가 나서 그런 것 갖고 뭘 그래?"라고 하는 건 변명일 뿐이다. 신체적인 약점, 마음의 상처, 본인이 숨기고 싶은 학력, 열등감을 느끼는 부분, 처가나 시댁의 문제 등은 건드리면 터지는 화약고이다.

아내의 치부나 아킬레스건을 누구보다 잘 아는 남편이 바로 그 부분을 찌르고 쑤시고 상처 난 곳에 소금을 뿌리는 행위는 비열한 짓이다.

넷째, 복수하지 말아야 한다. 싸우려면 문제가 된 것만 가지고 싸워야지 지난 일을 들춰내 따지는 건 비겁하다. 부부싸움 후 생활비를 안 주거나 집에도 안 들어가고 몇 달이 지나도 말도 안 하며 아내를 투명인간 취급하는 행동은 삼가야 한다. 그리고 서로 섹스를 무기로 삼는 것도 또 다른 복수를 부르는 어리석은 짓이다. 결국 서로 치명적인 상처를 입고 비틀거리다 파국을 맞는다.

다섯째, 타임아웃을 활용하자. 싸우다 보면 분노 조절이 안될 때가 있다. 이럴 때 사소한 말 한마디가 급소를 타격하면 이성을 잃는다. 그때는 빨리 냉정을 되찾아야 한다. 어느 한쪽이라도 타임아웃을 요청하면 거절하지 못하도록 미리 약속을 해두는 것이 좋다. 잠시 심호흡을 하거나 물이라도 한잔 마시자. 시간이 지나 마음이 차분해졌을 때 다시 얘기를 시작하면 큰 충돌을 피할 수 있다. 무조건 참는 것도 능사는 아니지만 솔직하게 자신의 감정을 표현한다고 그때그때 벌컥벌컥 화를 내는 것은 나쁜 습관이다. 감정도 다분히 습관적이어서 극단의 상황이 예상되는 경우에는 신속하게 브레이크를 걸어야 한다.

여섯째, 잘잘못을 떠나 내가 먼저 화해를 청하자. 화해는 화산이 폭발해 모든 것이 초토화되는 것을 방지해준다. 1차 화해 시도는 감정이 폭발하는 것을 방지해주고, 2차 화해 시도는 싸움 끝의 서먹서먹하고 어색한 분위기를 빨리 회복시켜주는 효과가 있다. 사실 불행한 부부들이 화해 시도를 더 많이 하는 편이다. 하지만 실패율이 높다. 타이밍을 놓치거나 효과적이지 않은 방법에 매달리기 때문이다. 어설프게 화해를 시도했다가 거절당하면 바로 공격을 감행하는 함정에 빠지기도 한다.

아내는 아직 화가 잔뜩 나 있는데 화해를 한답시고 "미안해" 한마디 툭 던지면 화가 금방 풀리겠는가? 미안하다고 했는데 기대한 반응이 없으면 "미안하다고 했잖아. 미안하다고 했는데 나보고 어쩌라고?" 하면서 고함을 지르면 장작불에 기름을 끼얹는 격이 된다. 게다가 아내가 "미안? 뭘 잘못했는지 알기나 해? 뭘 잘못했는지 한번 얘기해봐" 추궁까지 하면 또다시 '뚜껑'이 열린다. 맛있는 것 먹으면서 술 한잔하면 풀어지겠지, 하는 생각으로 나름 쿨하게 화해를 시도하지만 돌아오는 반응이 싸늘할 때가 있다.

"지금 뭐 먹을 기분이야? 돼지처럼 맨날 먹는 거밖에 안 보이지? 그러니 저렇게 디룩디룩 살이나 찌지."

아내의 반응에 폭발해 더 큰 싸움으로 이어지기도 한다.

"술? 나 술 못 마시는 거 몰라? 누구 좋으라고 마시는데? 그러니 알코올중독이지."

기분 풀고 앞으로 잘해보자는데 자신을 알코올중독자로 몰아붙이면 맥이 탁 풀린다.

화해에 성공하려면 아내의 취향이나 기호를 잘 살펴서 효과적인 방법을 찾고 타이밍을 잘 맞추어 시도해야 한다. 아내는 전혀 화해할 마음이 없는데 침실에서 집적대거나 덤벼들면 시간이 지나고도 성관계를 기피할 수 있다. 아내가 원치 않는 섹스를 강요할 권리는 남편에게도 없을뿐더러 잘못하면 아내 강간죄로 처벌받을 수 있다.

부부싸움 시 유의사항

진심으로 사과하자. 상황을 종료하기 위해 무조건 잘못했다며 영혼 없는 사과를 하는 것은 오히려 화를 키운다. 아내가 사과를 받지 않고 내동댕이치면 더 큰 분노가 폭발한다. 성급하게 싸움을 봉합하려 하지 말고 일단 아내의 말을 경청해야 한다. 아내의 마음을 정확하게 이해하고 공감을 표하는 게 먼저이다. 그러고 나서 말하는 것이다. 다시는 그런 일이 없도록 하겠다고. 진심까지 전해져야 진정한 사과가 된다.

화가 나서 폭발 직전이 되면 이성적인 판단을 할 수 없다.

그럴 때는 그 어떤 결정도 해서는 안 된다. 코미디 같은 사례가 있었다. 한 부부가 싸움을 하다 걸핏하면 "이혼해", "찢어져", "갈라서"를 습관처럼 내뱉곤 했다. 어느 날 화가 난 아내가 "이혼해"라고 했더니 자존심을 굽히기 싫은 남편도 "그래, 이혼해. 이혼하자고 하면 내가 겁낼 줄 알아? 까불고 있어" 하고는 이혼에 합의했다. 그러고 나서 두 사람 모두 두고두고 후회를 한 경우이다. 참으로 안타깝고 어리석은 일이다. 부부 싸움 끝에 이혼을 감행하거나, 회사를 그만두거나, 집을 팔아버리는 등의 극단적인 결정을 행동으로 바로 옮기면 남는 건 후회뿐이다.

싸우더라도 일상생활은 유지하면서 싸울 일이다. 최소한 자기 할 도리는 하고, 밥 생각이 없어도 꼬박꼬박 식사를 하면서 싸우길 권한다. 배가 고프면 더 예민해지고 사소한 자극에도 폭발하기 쉽다. 집을 나가면 장기전을 하겠다고 선포하는 것과 마찬가지이다. 싸움도 링 안에서만 하고 싸웠더라도 잠자리는 같이하는 것이 좋다.

제삼자를 끌어들이지 말자. 두 사람이 풀고 해결할 수 있는 문제를 양가 집안에 알리고 아이들에게 엄마 험담을 하는 것은 어른이 할 행동이 아니다. 그래서 속은 좀 풀릴지 모르지만 문제해결은커녕 온 가족에게 걱정만 안겨주는 꼴이다. 말을 뱉어낸 것도 자신이지만 그 말을 주워 담고 책임져야 할 사람도 자신이다.

　부부싸움을 하는 장소와 시간에 부부만의 패턴이 있다면 변화를 가져보자. 식탁이나 침실은 적당한 장소가 아니다. 얘기하다가 식사를 그르칠 수도 있고 베개 들고 한쪽이 나가버리면 장기전이 될 수 있다. 공공장소에서 조용한 자리를 찾아 대화를 나누는 것도 대안이다. 주위의 시선을 의식해 싸움이 과열되는 것을 방지할 수 있다. 퇴근 직후, 술 마신 후, 시댁에 갔다 오는 차 안에서처럼 특정한 시간대에 늘 부부싸움을 했다면 그 시간을 피하는 것도 괜찮은 방법이다. 아니면 '일주일에 두 번씩, 30분간'처럼 시간을 정해 그때만 예민한 얘기를 나누기로 한다면 부부싸움을 줄일 수 있다. 일상적인 대화를 하다가도 지난 일, 상대의 잘못한 일을 들추어서 번번이 싸움이 되는 부부, 늘 합의점을 못 찾아 팽팽하게 평행선을 달리다가 폭발해버리는 부부라면 이런 방법들을 시도해봄직하다.

부부싸움 10계명

가정경영연구소의 문을 연 이후 오늘까지 부부들에게 '부부싸움 10계명'을 널리 알리고 있다. 반드시 열 가지일 필요는 없고 일곱 가지나 다섯 가지라도 상관없으니 부부가 머리를 맞대고 지켜야 할 약속을 만들어보자. 약속을 어겼을 때 받을 벌칙까지 합의할 수 있다면 더욱 희망적이다.

부부싸움 10계명

1. 때리지 말고 부수지 말자

2. 아이들 앞에서 싸우지 말자

3. 문제가 된 것만 얘기하자

4. 브레이크를 준비하자(타임아웃)

5. 화났을 때 행동으로 옮기지 말자(이혼, 가출, 사직, 집 팔기)

6. 복수하지 말자

7. 이혼 들먹이지 말자

8. 싸웠더라도 잠자리는 같이하자

9. 제삼자를 끌어들이지 말자

10. 먼저 화해를 청하자

부부 최대의 위기
외도

40대 초반의 남성이 상담실을 찾았다. 하룻밤 다른 여자와 외도한 사실을 아내에게 털어놓았다가 아내가 식음을 전폐하고 앓아누웠다고 했다. 국제 학술대회에 참석했다가 만난 외국 여성과의 하룻밤이었는데 아내에 대한 죄책감으로 고민하다가 고백을 했다는 것이다. 아내는 그 충격으로 밥도 안 먹고 잠도 잘 못 잔다고 했다. 선한 의도로 고백했는데 탈이 나버린 경우였다. 그 여성과 계속 만나거나 연락을 하는 것도 아니고 그 일로 결혼 생활에 문제가 생긴 것도 아닌데 무슨 생각으로 아내에게 고백을 했을까? 부부간에는 어떤 비밀도 있어서는 안 되며 정직해야 한다는 믿음 때문이었을까? 아내에게 들켜서 자백하는 찌질한 놈이 아니라 스스로 솔직하게 털어놓는 남자 중의 남자라는 쓸데없는 자부심 때문이었을까?

하지만 비밀을 털어놓았을 때 아내가 받을 충격과 상처를 조금 더 고민했더라면 그런 선택은 하지 않았을 것이다. 아내의 반응을 예상할 수도 없고 결과를 조정할 수도 없는데 고백부터 하는 건 아내에겐 무책임하고 잔인한 일이다. 자신은 죄책감에서 벗어났는지 모르지만 그 충격을 고스란히 떠안아야 하는 아내에게는 말 그대로 마른하늘에 날벼락일 뿐이다. 차라리 신부님에게 고해성사를 하거나 상담실을 찾았더라면 그런 위기는 피할 수 있었을 것이다. 외도를 눈감아주자는 뜻이 아니라 정직이 항상 최선은 아님을 얘기하는 것이다.

남편의 외도로 40대 후반 여성이 상담실을 찾은 적이 있다. 사람의 눈에서 그렇게 많은 눈물이 나오는 것을 나는 그때 처음 보았다. 수도꼭지를 틀어놓은 듯 눈물을 쏟는 내담자를 보며, 저러다 사람이 무너져내리는 게 아닌가 겁이 날 정도였다.

그녀는 부부 금슬이 좋아 남편의 외도 같은 건 상상조차 해본 적이 없다고 했다. 그런데 남편의 핸드폰에서 결정적인 사진들을 발견한 것이다. 처음에는 완강히 부인하던 남편도 아내가 증거를 들이밀자 모든 일을 낱낱이 실토해버렸다. 직장 후배와 어디서 만나 무엇을 하고 어떻게 섹스를 나눴는지까지를 다 들은 아내는 견딜 수가 없었다. 남편을 죽이고 자신도 죽고 싶은 심정으로 남편과 자신을 괴롭히다 보니 가정은 풍비박산이 났다. 그러나 아내가 정작 더 괴로운 것은 죽이고 싶을 정도로 미운 그 남편을 아직도 너무나 사랑한다는 사실 때문이었다.

　일단 정신부터 차리고 식사를 하고 잠을 잘 수 있도록 상담의 목표를 '일상으로 돌아가기'로 잡았다. 남편이 진심으로 뉘우치고 직장 후배와의 관계를 완벽하게 정리한 것이 주효했다. 하지만 아내의 상처가 아물고 가까스로 예전의 부부관계로 돌아오기까지는 오랜 세월이 걸렸다. 10년이 지난 지금은 그 사건이 있기 전보다 훨씬 더 깊이 서로의 마음을 나누는 소울메이트가 되었다.

신뢰가 가장 중요하다

20년 가까이 연구소를 운영하면서 참 많은 부부의 사연들을 만났다. 결혼 생활 38년을 돌아보건대 부부 사이에는 사랑보다 더 중요한 것이 신뢰가 아닌가 싶다. 서로 믿고 살아왔던 잉꼬부부라고 해도 부부의 신뢰가 무너지는 것은 순식간이다. 또 무너진 신뢰를 어렵게 어렵게 회복했는데 외도 등으로 신뢰가 또다시 무너지면 회복할 수 없을 정도로 치명적인 상처를 입는다. 배신감과 혼란, 분노와 절망감으로 땅이 꺼지고 하늘이 무너지는 것 같은 충격에서 헤어나질 못한다. 화병이 생기고 불면증이나 우울증으로 고통스러워하다 자살을 감행하기도 한다.

그러나 외도는 결혼 생활의 끝이 아니다. 배우자가 외도를 했다고 해서 모든 부부가 다 이혼하는 것도 아니다. 외도의 이유는 참으로 다양하다. 성적인 욕구불만이나 갈등, 성기능장애가 원인인 경우도 있지만 외도가 다 성 문제 때문만은 아니다. 성격적인 차이나 관심 부족, 꽉 막힌 소통, 해결되지 못한 분노 등도 외도의 원인이 된다. 경제적인 문제로 인한 갈등이나 자녀 양육에서 오는 스트레스를 외도로 푸는 사람도 있다.

그 이유나 동기가 무엇이든 외도에 빠져 있을 때는 비밀스런 쾌락과 흥분에 아무것도 보이지 않는다. 그러나 불꽃은 아무리 화려해도 반드시 꺼지게 돼 있다. 불꽃이 사그라지면 죗값으로 엄청난 대가를 치러야 한다는 사실을 언제나 너무 늦게 깨닫는다는 것이 비극이다.

피임약이 개발되고 성문화가 개방되면서 외도를 하기가 쉬운 세상이 되었다. 왜곡되고 과장된 성이 상품화되어 은밀한 유혹의 손길을 뻗쳐온다. 도시의 익명성과 통신기술의 발달로 순식간에 파멸의 구렁텅이로 빠지는 남편들이 많아졌다. 여성들의 성 인식도 많이 달라져 노골적으로 쾌락을 좇는 미혼 여성들도 있다. 경제적인 여유도 있고 세련돼 보이는 기혼 남성들이 표적이 된다.

어릴 때부터 감정표현을 억제하며 살아온 남자들은 성적인 욕구와 친밀감의 욕구를 혼동한다. 아내와의 정서적 교감을 못 느끼는 남성들은 누군가 자기 얘기를 들어주고 맞장구쳐 주면서 입에 발린 말로 칭찬하면 상대에게 쉽게 빠져버린다. 돈만 있으면 그런 상대가 되어줄 여성들은 어렵지 않게 만날 수 있다. 아내와의 섹스는 출산을 위한 것이고 의무방어만 잘 하면 된다는 생각으로 밖에서 성적인 즐거움을 찾다가 위기 를 맞는 남성들이 적지 않다.

나의 외도가 발각된다면

아내가 결정적인 증거를 들이대며 외도를 추궁할 때는 솔직 하게 시인하는 것이 최선의 방법이다. 끝까지 오리발을 내밀 면 뻔뻔함까지 더해져 혐오감만 커진다. 그리고 상대 여성과 의 관계를 하루빨리 정리해야 한다. 사람의 관계라는 게 두부 모 자르듯 단번에 정리할 수 있는 것은 아니지만 내 삶에 소 중한 사람이 누구인지를 깨달아야 한다. 그녀 없이는 못 살 것 같지만 일시적인 기분일 뿐이다. 아내와 이혼하고 설사 그 녀와 새로운 삶을 시작한다고 해도 몇 년이 지나면 똑같은 단 조로움과 갈등, 불화가 반복된다.

상대 여성을 직접 만나 관계를 끝내겠다는 결심과 의지를 확고하게 전할 필요가 있다. 깨끗하게 정리하기로 했으면 여지를 남겨서는 안 된다. 여지를 남겨놓으면 상대 여성도 혼란스러울 뿐만 아니라 상황에 따라 관계를 다시 시작할 수도 있다. 그녀를 만나러 가기 전 아내에게 미리 알려주는 것도 나쁘지 않다. 내 의지를 확실하게 아내에게 전하고 그녀에게 아내의 메시지까지 함께 전달할 수 있다. 단 아내와 함께 만나는 일은 삼가야 한다. 일이 복잡하게 꼬일뿐더러 아내의 감정이 격해지고 상대도 돌발 행동을 하면 통제할 수 없기 때문이다.

관계를 정리하자는 말을 했을 때 상대 여성이 보일 반응에 대해서도 철저히 준비해야 한다. 내가 정리하자고 얘기만 하면 모든 것이 다 해결되는 것이 아니다. 그리고 그 여성을 생각나게 할 수 있는 사진이나 편지, 선물 등은 깨끗하게 없애는 것이 좋다. 그래야 다시 관계가 지속되는 일을 방지할 수 있다.

자녀들 앞에서 아빠로서의 권위를 잃지 않도록 아내에게 협조를 구할 필요가 있다. 자녀에게 알릴 필요도 없고 알려서는 안 될 내용까지 까발려 부모 자식 관계마저 망가지는 일은 막아야 한다. 자신의 외도를 아는 사람들과 인연을 끊어버리는 경우도 있는데 그것은 바람직하지 않다. 계속 만나야 할 사람들에게는 사실을 간략하게 설명한 뒤 부부가 잘 사는 모습을 보여주는 것이 최선이다.

하지만 가장 어려운 상대는 장인 장모이다. 당신들이 배반당한 것처럼 노발대발하며 흥분하기 때문이다. 장인 장모로서의 위계를 이용해 딸과 사위의 문제에 깊이 개입, 부부를 파국으로 몰고 가는 경우도 있다. '두 사람은 여전히 사랑하고 있으며 이번 일로 많은 것을 깨달았다'는 사실을 부부가 함께 말씀드리는 것이 불상사를 예방하는 길이다. 또한 아내가 친정 부모님 앞에서 자신도 일부분 책임이 있다는 사실을 인정하고 두 사람이 행복하게 살 수 있도록 응원하고 도와달라는 부탁을 한다면 위기를 넘길 수 있을 것이다.

아내의 외도가 의심된다면

아내의 외도가 의심되면 고민이 더욱 깊어진다. 여성의 사회 참여가 늘고 경제력도 커지면서 남편 아닌 남성을 만날 수 있는 기회가 많아졌다. 일시적 유흥을 위해 외도를 하거나 성을 돈으로 사는 여성은 많지 않지만, 남편과 감정적인 교류가 전혀 없거나 남편에 대해 불만이 쌓이면 외도의 가능성은 열려 있다. 남편이 성관계를 일방적으로 밀어붙이거나 스트레스가 쌓였을 때 매력적인 남자가 나타나 적극적으로 접근하면 여성들도 속절없이 무너진다.

아내의 행동이 어딘가 미심쩍다고 사실 확인도 없이 무조건 추궁하고 심문하듯이 몰아붙이는 건 오히려 입을 막아버리는 격이다. 하지만 아내가 뭘 하고 다니든 관심을 보이지 않는 것도 심각한 문제가 될 수 있다. 아내의 외출이 잦아지고 귀가 시간이 늦어지며 술을 마시고 들어오거나 외모에 유독 신경을 많이 쓴다면 유심히 지켜볼 필요가 있다. "내 외도 사실을 남편이 눈곱만큼도 몰라 이혼을 결심하게 되었다"는 사례는 남편의 무관심이 외도의 이유가 될 수도 있음을 보여준다.

아내의 외도를 의심할 만한 증거를 발견했다면 아내에게 먼저 말하는 것이 좋다. 문제를 드러내야 해답을 찾을 수 있다. 알면서도 모른 척하면 외도를 더 진행시키게 하고 아내가 계속 거짓말을 하게 만든다. 외도 사실에 아내의 거짓말까지 더해져 불신이 깊어지면 의처증으로 발전할 수도 있다.

아내의 외도가 사실로 밝혀질 경우

아내의 외도가 발각되고 아내가 자신의 입으로 외도 사실을 실토했을 때는 문제가 더욱 심각해진다. 남편의 외도 때문에 아내가 받는 고통보다 아내의 외도로 남편이 받는 충격이 훨씬 크다. 아내의 외도가 더 나쁘다는 얘기가 아니라, 남녀에 따라 이중적 가치관을 적용해온 사회 분위기를 말하는 것이다.

일단 평정심을 되찾는 것이 무엇보다 중요하다. 분노를 조절하지 못해 폭력을 휘두르며 협박하거나 이혼소송으로 직행하는 것은 어리석은 일이다. 시간을 갖고 냉정하게 사실관계부터 확인해야 한다. 그리고 가정파탄을 원하지 않는다면 하루라도 빨리 아내가 관계를 정리하고 돌아올 방법을 아내와 함께 찾아야 한다.

아내가 죽을죄를 지은 것처럼 비난하며 동네방네 떠들고 다니는 것은 생각이 짧은 짓이다. 어차피 남편인 자신이 엎질러진 물을 다시 담아야 하기 때문이다. 어떤 경우에도 아내가 자녀 앞에서 엄마로서의 권위를 잃지 않도록 보호해주는 것이 남편이 해야 할 일이다. 그 남자를 만나 담판을 짓겠다고 만용을 부리는 것은 금물이다. 의도대로 일이 풀리지도 않을뿐더러, 셋이 만나 큰 충돌이 생기거나 그 남자의 아내까지 가세하는 복잡한 형국이 되어 문제가 더욱 꼬여버린다.

그 남자와의 관계를 정리하는 일은 아내에게 맡긴 다음 자신을 추스르고 부부관계를 회복하는 데 집중하는 것이 현명하다. 모든 것을 당장 때려치우고 싶고 끓어오르는 증오심 때문에 눈에 보이는 것이 하나도 없을 것이다. 그러나 일상적인 생활로 하루 속히 돌아오는 게 정답이다. 남편이 감정적으로 대처하는 못난 모습을 보고 '저런 남자와는 빨리 헤어지는 게 좋겠다'고 아내가 결심을 굳힐 수도 있다.

게슈탈트 심리학Gestalt psychology에 '전경'과 '배경'이라는 개념이 있다. 화랑에서 한 화가의 작품을 감상한다고 상상해보자. 그림에 관심을 갖고 유심히 볼 때는 그림이 전면에 나타나고 액자는 배경으로 물러나지만, 독특한 액자에 눈길이 가 액자에 관심을 보이는 순간 액자가 전면에 떠오르며 그림이 배경으로 물러난다. 이처럼 어느 한순간에 관심의 초점이 되는 부분을 '전경'이라 하고 관심 밖으로 물러나는 부분을 '배경'이라고 한다. 아내의 외도가 사실로 밝혀지면 외도 장면만 온통 전경으로 떠올라 일상생활이 불가능해진다. 그러나 일에 몰두하거나 하루하루가 숨차게 바쁠 때, 운동으로 몸이 피곤해져 숙면을 취할 때는 그런 생각에서 벗어날 수 있다.

그리고 좀 더 성숙하게 문제를 해결하려면 나에게도 문제는 없었는지 돌아볼 줄 알아야 한다. 그러나 그것이 말처럼 쉽지는 않다. 결혼 생활의 모든 기능이 마비된 최악의 경우를 맞았기 때문이다. 하지만 삶의 큰 고비는 언제든 찾아오게 마련이다. 그 고비를 잘 넘어가면 이전보다 더 좋은 길이 펼쳐질 수도 있다. 가정에 큰 힘이 되었던 아내의 노고를 떠올려보고 둘만의 좋았던 추억도 더듬어보자. 시간을 마련해 허심탄회하게 대화를 나누면서 친밀감을 회복하는 일이 급선무이다. 낭만적인 감정이 되살아나야 아내와 다정한 시간을 가질 수 있는 것이 아니다. 아내와 시간을 함께하다 보면 낭만적인 감정이 다시 되살아날 수도 있다. 결코 쉽지 않은 일이다. 상처가 어느 정도 아물었다고 생각했는데도 문득문득 아내의 외도 장면이 전경으로 떠오르면 또다시 아무것도 할 수 없는 순간이 오기도 한다. 미해결 과제가 배경으로 물러나지 못한 채 중간층에 머물면서 끊임없이 전경으로 떠오르려 하기 때문에 결혼 생활이 계속 위협을 받는다. 그 위기를 지혜롭게 극복했을 때의 보람과 기쁨은 말로 설명할 수 없을 만큼 크다는 것을 믿고 두 사람이 마음을 모아 헤쳐나가야 한다.

전문가의 도움을 받는 것도 좋은 방법이다. 두 사람이 풀기에는 너무나 큰 위기를 맞았기 때문이다. 아내의 외도에 집착해 거기에 매몰되어버리면 모든 것을 잃는다는 사실을 명심하고 하루라도 빨리 그 늪에서 탈출해야 한다.

남편을 파멸시키고 남편에게 모욕감을 주기 위해 의도적으로 외도하는 아내는 거의 없을 것이다. 위기를 두 사람이 새롭게 성장하는 기회로 삼아야 한다. 이때야말로 아내에게 '당신이 나에게 얼마나 소중한 사람인지, 그리고 내가 당신을 얼마나 사랑하는지'를 확실하게 확인시켜줄 때이다. 그것이 아내가 돌아오게 하는 최선의 방법이다. 그럼에도 불구하고 아내가 관계를 정리하지 못하고 이혼을 원한다면 그때 이혼을 고려해도 늦지 않다. 부부간에는 사랑보다 신뢰가 더 중요하며, 결혼 생활 내내 가장 필요한 것은 인내이다. 그러나 그 무엇보다도 소중한 아내와의 관계를 잘 다져서 외도를 예방하는 것이 최선임을 잊지 말자.

7
고부갈등과
장서갈등

K는 요즘 어머니와 아내 사이에서 죽을 맛이다. 흔히들 얘기하는 고부갈등 때문인데, 이러지도 못하고 저러지도 못해 답답하기만 하다.

"우리 어머니, 그렇게 못된 시어머니 아닙니다. 열쇠 가지고 아무 때나 들이닥쳐 냉장고 검사하고 아들 방 앞에서 요 깔고 자고, 혼수 들먹이며 며느리 구박하는 그런 시어머니들도 있잖아요? 제 아내도 개념 없거나 싸가지 없는 며느리가 아니고요. 어머니나 아내나 그냥 평범한 사람들입니다. 그런데 아내가 요즘 시집에 가려면 머리부터 아프대요. 꾀병 같지는 않은데 그렇다고 솔직히 믿기지도 않습니다. 부모님 집에 갔다 올 때마다 차 안에서 매번 싸우죠. 1년에 열 번 정도 부모님 뵈러 가는데 그때마다 싸웁니다. 우리 아이들 어릴 때

어머니가 다 키워주셨고 별일 없이 살아왔는데, 언제부터 일이 이렇게 꼬였는지 알 수가 없네요."

상담을 해보니 K의 말대로 특별할 것 없는 가정이었다. 평생 속을 썩이는 남편과 이혼 안 하고 두 아들 키우는 것을 낙으로 알고 살아온 어머니는 장남을 제일로 여겼다. 문제는 아내와 어머니보다 그 사이에서 처세를 제대로 하지 못하는 K에게 있었다. 자신이 어떻게 해야 하는지도 잘 모르고, 그런 자신이 고부갈등의 가장 큰 원인이라는 사실도 모르고 있었다. 자식을 끔찍이 생각하고 그중에서도 장남을 최고로 아는 어머니는 반찬도 해 나르고 손주도 기꺼이 봐주었다. 누가 봐도 못된 시어머니라고는 할 수 없었다.

그러나 툭툭 던지는 말속에 며느리를 챙기는 말은 한마디도 없었다. 그러니 며느리는 자기 자식만 귀한 줄 아는 시어머니에게 마음이 열리질 않았다. 오랜 시간 야속한 마음이 쌓이고 쌓이다 보니 시어머니와 불편한 사이가 되어버린 것이다. 딱히 시어머니를 흉볼 일도 없으니 자기만 나쁜 며느리가 되는 것 같아 더 속이 상했다. 말끝마다 "우리 어머니 같은 시어머니 없다. 당신이 잘해야 돼"라고 하는 남편이 더 보기 싫었다. 친정엄마에게 하소연해도 "네가 참아야지"라고 하니 속이 터질 것 같다. 요즘은 아예 시댁에 가고 싶질 않다. 궂은일은 모두 맏며느리 차지인데 용돈만 조금 드리고 생색내는 여우 같은 손아래 동서까지 얄밉다.

갈등의 근본 원인 파악하기

이 땅의 남편들이 고부갈등의 근본 원인만 제대로 알아도 문제를 크게 줄일 수 있다. 고부갈등에 대해 말들을 많이 하니 고부간에만 유독 갈등이 심한 것처럼 생각하지만 어떤 인간관계에서도 갈등은 피할 수 없다. 친정엄마와 딸 사이, 아버지와 아들 사이에도 갈등은 있고 장모와 사위 사이에도, 시아버지와 며느리 사이에도 갈등은 많다. 고부갈등은 장성한 자녀들과 부모 사이에 생기는 갈등 중의 하나일 뿐이다.

고부갈등의 가장 큰 원인은 첫째, 세대 차이이다. 살림하는 스타일과 아이를 키우는 방식, 남편을 대하는 태도, 어른을 대하는 자세 등 30년 가까운 세대차가 두 사람을 힘들게 한다.

둘째, 고부갈등은 일종의 권력 다툼이다. 시어머니 입장에서 보면 며느리는 내 아들을 빼앗고 내 영역을 침범한 사람이다. 시어머니와 며느리가 한집에 사는 경우는 갈등이 더욱 심할 수밖에 없는데 설사 따로 살더라도 서로에게서 자유로울 수 없다.

셋째, 고부갈등은 한 남자를 사이에 두고 두 여자가 벌이는 미묘한 애정 싸움으로 볼 수도 있다. 모든 홀어머니가 그런 것은 아니지만 아들을 자식이자 남편, 연인처럼 여기며 의지하고 산 시어머니일수록 며느리에 대한 질투와 시샘이 강하다. 자신은 갖은 고생 다 하며 아들 하나 바라보고 살았는데 잘 키운 아들 덕분에 호강하는 며느리를 보면 억울하고 샘나고 질투가 난다.

현명한 중간 역할은 무엇인가

고부갈등의 특성에 대한 이해를 바탕으로 어머니와 아내 사이에서 남편들이 어떻게 처신해야 하는지 알아보자.

먼저 아내의 얘기를 귀 기울여 듣고 공감하며 아내를 다독여주어야 한다. 옳고 그름을 따지거나 평가하거나 문제를 해결한답시고 경솔하게 나서지 말자. 아내의 기분과 감정을 읽어주는 것이 먼저이다. 아내의 의견을 존중하고 위로하며 지지해주면 아내는 남편이 '내 편'이라는 믿음을 갖는다. 그러면 시어머니나 가족들을 대하는 태도가 부드러워진다.

항상 부부가 중심이 되어 고부간에 경계를 지키면서 '아름다운 거리'를 유지해야 한다. 부모님의 영역과 역할을 존중하는 태도도 중요하다. 하지만 부모로부터 심리적·경제적으로 독립해야 한다. 결혼 전과 후 어머니와의 관계가 똑같을 수는 없다. 어머니를 조금도 서운하게 하지 않고 내가 홀로 서기는 어렵다. 그렇다고 대놓고 아내 역성을 들며 어머니 가슴에 대못을 박는 어리석은 짓은 하지 말아야 한다.

가장 안 좋은 태도는 뒤로 빠져 수수방관하거나 외면하고 회피하는 것이다. 둘 사이에서 어정쩡한 태도를 취하거나 왔다 갔다 하는 태도도 문제를 키운다. 최악의 경우는 무조건 어머니 편을 들거나 부부 사이에 있었던 일이나 싸운 얘기를 시시콜콜 어머니에게 일러바치는 태도이다.

매사를 어머니와 상의하고 어머니가 시키는 대로만 하는 마마보이도 고부갈등의 주범이다. 어머니 앞에서 아내 흉을 보거나 험담하는 것은 삼가야 한다. 아내가 한 말을 어머니에게 전할 때는 충분히 소화시킨 뒤 자신의 말로 전하는 것이 좋다.

어머니의 상실감과 허전함, 서운함과 외로움을 달래드릴 줄도 아는 아들이 되어야 한다. 부부가 어머니 말씀을 귀담아 듣고 어머니의 수고를 인정하고 조그만 일에도 감사드리면 관계는 한결 부드러워진다. 사소한 일이라도 되도록 어머니의 의견을 여쭙도록 아내와 조율하자. 단 최종결정권을 부부가 가져야 할 부분에 대해서는 정중하게 양해를 구하는 것이 분란을 줄이는 길이다.

어머니께 효도하라고 아내를 닦달하지 말아야 한다. 효도는 아들인 자신이 더 적극적으로 하면 된다. 어머니께 해드리는 일에 대해 아내가 문제 삼지 않도록 범위를 정하는 것도 현명한 방법이다. 장인 장모님께 미처 챙겨드리지 못한 것은 아내가 더 세심하게 챙기기로 역할 분담을 하자. 아내와 함께 산 세월보다 어머니와 함께한 세월이 길다면 심리적으로 어머니에게 기울게 된다. 객관적일 수 없는 자신을 인정하고 받아들여야 아내와의 싸움을 줄일 수 있다.

장서갈등 어떻게 풀어갈 것인가

요즘은 세상이 많이 변해 며느리 우세형 고부갈등으로 시어머니들이 괴로움을 호소하는 사례가 늘었다. 그런 한편 장서 갈등으로 고민하는 사위도 많다. '사위 사랑은 장모'라는 말이 무색하다. 딸의 삶을 진두지휘하면서 사위의 사생활이나 딸 부부의 결혼 생활에 지나치게 개입하고 간섭하는 장모와 장인이 많아졌다.

여성의 사회 활동이 늘고 맞벌이가 증가하면서 처가 가까이 사는 경우를 흔히 볼 수 있다. 아예 처가살이를 하는 사위도 적지 않다. 낭만은 짧고 생활은 길다고 했던가? 장모님 때문에 결혼 생활이 꼬일 줄은 몰랐다는 사위들이 있다. 하지만 연애를 하고 사랑해서 결혼한 아내와도 잘 안 맞는 부분이 많은데 장모와 어떻게 갈등이 없겠는가? 내가 선택한 사람이 아니라 아내의 어머니로서 맺어진 관계이므로 적응하는 데 시간이 걸리는 것은 당연하다.

하지만 장모가 지나치게 간섭하거나 부부의 사생활, 심지어 성생활까지 개입하면 참으로 난감해진다. 사위의 학력이나 수입 등을 거론하며 다른 집 사위와 비교하거나 손자 손녀 앞에서 사위를 무시하는 장모와 장인도 있다. 아이를 봐주면서 생색을 내고 대가를 요구하거나 이런저런 구실로 돈을 달라고 하면 화살이 아내에게로 향할 수밖에 없다. 아내는 부부싸움까지 친정 식구들에게 중계방송을 하고 매사를 친정 식구들하고 상의한 뒤 결과만 통보하는 식이니 참기가 어렵다. 게다가 장인 장모가 우리 부모님 험담까지 하게 되면 폭발 직전에 이른다.

그러나 어른에게 섣불리 대들었다간 화를 자초할 수 있다. 과정은 생략한 채 사위가 장인 장모에게 대들었다는 사실만 강조해 말을 옮기면 전혀 원치 않은 방향으로 문제가 확대된다. 무조건 참는 것도 능사는 아니다. 너무 경우 없이 사람을 무시하고 통제하려고 하면 그대로 질질 끌려가서는 안 된다. 장인 장모에게 그런 대접을 받게 된 책임이 자신에게도 있기 때문이다. 어디까지를 수용하고 어느 선까지 거리를 두어야 할지 아내와 상의한 뒤 합동작전을 세우는 것이 좋다.

A는 요즘 심각한 고민에 빠졌다. 장서갈등 때문이다. 참고 참았지만 이제 더 이상은 안 되겠다는 생각이다. 장모와의

갈등으로 아내와 이혼을 들먹이며 싸우기 시작한 것이다. 처가 덕을 보려고 결혼한 것도 아닌데 "누구 덕에 이만큼 사는 줄 아느냐?"며 장모는 사사건건 생색을 낸다. 아내가 사정사정해서 처가에 들어가 산 것이 화근이었다. 신혼 재미도 없는 처가살이가 조금도 즐겁지 않았다. 처가 재산엔 관심도 없는데 받을 생각을 하지 말라니 어이가 없었다. 사위에게 반말을 하는 것까지는 괜찮은데 아이 부르듯 이름을 부르는 것은 기분이 나빴다. 장인어른이 장모를 말릴 법도 한데 장인도 장모 앞에서는 꼼짝을 못 한다. 물론 처가에서 함께 사니 아이도 봐주고 집세도 나가지 않으니 고맙기도 하지만 그건 그거고 이건 이거다.

상담을 통해 심리적·경제적 독립을 위해 물리적으로도 독립된 공간을 갖기로 했다. 도움은 받으면서 불편한 것은 못 참겠다는 것이 모순임을 A가 깨달은 것이다. 처음에는 아내가 펄쩍 뛰었다. "엄마가 힘들면 힘들었지 당신이 힘든 게 뭐가 있는데?"라며 이해를 못 했다. 자기 엄마가 성격이 좀 세긴 하지만 아이도 봐주고 경제적인 도움도 주는데 계속 못 살 게 뭐냐며 고집을 꺾지 않았다. 하지만 갈등과 싸움의 근본 원인을 없애지 않으면 불화는 계속될 수밖에 없다고 설득하자 결국엔 아내도 분가에 찬성했다. 사위를 위해 아이를 봐주는 것처럼 얘기했던 장모는 손자 얼굴을 못 보면 못 살 것 같다고 했다. 사위에게는 장모에게 아이 얼굴 보여주는 걸 무기 삼지 말라고 당부했다. 그리고 아내가 아이를 데리고 친정에 가는 것은 문제 삼지 않겠다는 약속을 A에게서 받아냈다. 아내는 다소 쪼들리더라도 친정에 절대 손 벌리지 않겠다는 데 동의하고 합의문에 서명했다.

그런데 분가만 하면 문제가 다 해결될 것처럼 생각했던 남편은 분가 생활이 그리 녹록지 않음을 절감했다. 예상 외로 생활비가 많이 들어갔던 것이다. 오후 3시까지 아이를 어린이집에 맡기고 아내는 오전 시간에 할 수 있는 파트타임 일을 시작했다. 처음에는 분가 전보다 다툼이 더 잦았지만 시간이 갈수록 적응이 되었다. 아내 역시 일을 하면서 돈 버는 재미를 느꼈고, 아이한테만 매달려 스트레스를 받다가 활기를 되찾으면서 자신감도 생겼다. 분가를 했다고 해서 장모와의 갈등이 사라진 건 아니지만 근본적인 의존관계에서 벗어나니 많은 부분에서 갈등과 마찰이 줄었다.

시시콜콜한 것까지 얘기하는 것은 남자답지 못한 태도라고 생각하고 혼자 속을 끓이다 보면 아내는 자기 엄마 얘기만 듣고 장모 역성만 든다. 아내에게 무엇이 불편하고 무엇 때문에 힘이 드는지 솔직히 얘기한 뒤 장인 장모에게 '직접 부드럽게' 말씀드리는 정공법을 택하는 것이 좋다. 사안에 따라 내가 직접 말씀드려야 하는 경우, 아내와 함께 말씀드리는 게 좋은 경우, 아내가 대변인이 되어 전달하는 것이 더 효과적인 경우로 나누어보자. 그리고 나의 감정과 생각을 '그때그때 사뿐사뿐' 전하는 지혜를 발휘하자. '귀신도 얘기 안 하면 모른다'는 말이 있다. 장인 장모가 알아서 내 마음을 헤아려주기를 바라는 것은 비현실적인 기대이다. 또 한 가지, 큰 것은 잘 참다가 사소한 문제에 폭발하여 일을 그르치는 우는 범하지 말아야 한다.

사위의 도리를 다해야 한다

장인 장모에게 해야 할 도리를 잘 모르는 사위들 때문에 불화가 생기는 경우도 많다. 아이들 키워주는 노고에 감사할 줄은 모르고 장모를 은연중 육아 도우미 대하듯 하지는 않았는지, 처가 행사나 모임에 잘 안 가고 전화 안부도 여쭙지 않으면서 아내에게 며느리로서의 도리만 강요하진 않았는지 돌아보아야 한다. 아내를 행복하게 해주기는커녕 속만 썩이면서 불평불만만 늘어놓으면 장인 장모가 사위를 좋아할 리 없다.

처가에 가서도 부부싸움 후의 기분 나쁜 티를 팍팍 내면서 말 한마디 안 하거나 낮잠이나 자면 누가 사위를 좋다고 하겠는가. 술에 취해 장인 장모 앞에서 주정하고 추태라도 부리면 만회하기는 더욱 어렵다. 게다가 다른 여자와 바람피우고 아내를 때리기라도 하면 처가에서 당장 이혼시키려고 할 것이다.

도움은 받으면서 감사할 줄 모르고 간섭이나 잔소리는 싫어하는 건 이기적인 태도이다. 무엇보다 심리적·경제적으로 독립하여 양가 부모에게 짐이 되지 않아야 한다. 남녀평등이라고는 하지만 아직도 우리나라는 남성 위주의 사회로 처가보다는 시댁 일이 먼저인 경우가 많다. 그러나 최소한 생각이나 말로라도 처가를 동등하게 존중하고 배려하지 않으면 평화로운 결혼 생활을 유지하기가 어렵다. '아들처럼' 하기도 어렵고 '친부모님 대하듯' 하기도 쉽지 않겠지만 최소한의 자식 된 도리는 사위의 의무이다. 아내에게는 함부로 하면서 나중에 자기 딸 눈물 나게 하는 녀석은 가만 놔두지 않겠다고 하는 건 앞뒤가 안 맞는 말이다.

어머니와 아내 사이에서 현명한 남편 역할이 중요하듯, 장서갈등을 줄이려면 친정 부모님과 남편 사이에서 아내가 중간 역할을 지혜롭게 해야 한다. 하지만 그에 앞서 '사위가 오면 씨암탉 잡아준다'는 말은 잊어버리고 사위로서의 도리를 먼저 실천하자. 장인 장모는 사위가 내 딸을 존중하고 아끼며 행복하게 해주길 바란다. 결혼 초반에 처가와의 사이에 생겼던 오해나 갈등을 푸는 비결은 두 사람이 한결같이 행복하게 사는 모습을 보여드리는 것이다.

8
이혼과
졸혼

서울가정법원의 조정위원으로 활동하다 보니 이혼소송으로 싸우는 부부를 많이 만난다. 결혼 1, 2년 만에 이혼하겠다고 가정법원을 찾는, 우리 아이들보다 더 어린 부부들을 보면 남의 일 같지가 않다. 하루라도 못 보면 죽을 것처럼 사랑하던 두 사람이 어떻게 그렇게 망가질 수 있는지 놀라울 뿐이다. 자녀에 대한 애정은 눈곱만큼도 없이 재산분할에만 눈이 어두워 양육권을 주장하는 뻔뻔한 부모도 있다. 그런가 하면 자기 의견은 전혀 없이 부모나 변호사의 의견에 질질 끌려다니는 사람도 답답하다. 남편과 아내, 두 사람의 진술이 180도 달라 누가 거짓말을 하는지 혼란스러울 때도 있다. 두 사람이 부부가 맞는지, 혹시 파트너가 바뀐 건 아닌지 의심스러울 정도이다.

40대 후반의 부부가 남편의 외도와 폭행으로 이혼소송 중이었다. 사업을 하는 남편은 일 핑계로 매일 귀가가 늦었고 외박을 하는 일도 잦았다. 그러다 외국 출장이라고 속이고 다른 여자와 해외여행을 갔던 사실이 들통났다. 함께 찍은 사진과 출입국 기록 등 확실한 증거가 있는데도 남편은 끝까지 오리발을 내밀었다. 남편의 폭력으로 찢기고 멍든 사진과 진단서를 아내가 들이밀어도 남편은 함께 다투고 싸우다가 양쪽 모두가 다쳤다고 우겼다. 자기는 더한 상처를 입었는데도 문제 삼지 않았다면서, 아내가 자기 재산을 탐내 이혼소송을 걸었다며 남편은 맞소송을 했다. 집안일에 불충실하고 시댁 일에 소홀하며 잠자리도 거부 하는 등 아내로서의 의무를 다하지 않아 도저히 함께 살 수가 없다는 것이다.

가정법원 조정장에서 처음 만난 남편은 점잖게 생기고 말도 차분하고 조리 있게 해서 오히려 아내가 거짓말을 하고 있는 게 아닌지 의심이 들 정도였다. 하지만 조정을 거듭할수록 아내가 제시하는 증거는 명확하고 주장에 일관성이 있는 데 반해 남편은 증거도 없는 주장과 앞뒤가 맞지 않는 말만 되풀이했다. 재판에서 어떤 결론이 나더라도 자기에게 불리한 것은 끝까지 부인하고 오리발을 내밀어야 유리하다고 생각한 것이다.

가정법원에서 조정을 하다 보면 두 사람 모두 덜 다치고 더 많이 얻을 수 있는 제3의 대안이나, 제4의 대안도 많다. 그런 데도 상대방에게 고통을 주고 망가지게만 할 수 있다면 뭐든지 하겠다는 적개심과 복수심에 불타는 부부를 많이 본다. 자신의 불행은 모두 결혼을 잘못한 결과이며 그때문에 한심한 꼴이 되었다는 식이다. 자신의 결혼 생활은 이미 끝이 났으며 이혼만 하면 지긋지긋한 지옥에서 벗어나 새 세상을 살 수 있다는 믿음에 사로잡혀 있다. 남의 말은 조금도 들으려 하지 않고 자기 생각만 옳다는 식이어서 대화가 되질 않는다. 결혼 30년, 40년, 심지어는 80을 바라보는 나이에도 이혼만이 해답이라며 한 치도 양보하지 않는다.

이혼이 증가하는 이유

이혼하기 위해서 결혼하는 사람은 한 명도 없을 텐데 왜 이렇게 이혼이 증가하는 것일까? 무엇보다 여성의 의식이 크게 바뀌었다. 교육을 받으면서 남녀평등이나 여성의 인권에 눈 뜨고 사회 활동이 늘어나면서 경제력을 갖게 되었다. 이전보다 생활이 어려워질 수는 있으나 남편에게 더 이상 경제적으로 의존하지 않고 독립할 수 있는 바탕이 생긴 것이다. 호주제가 폐지되고 재산분할청구권, 면접교섭권 등 법이 바뀐 것도 이혼이 증가한 원인 중의 하나이다. 이혼에 대해 허용적인 사회 분위기와 성 개방도 한몫한다. 혼자 살기에 세상이 편리해진 탓도 있다. 억지로 가정을 유지하는 것보다 나의 행복이 중요하다는 개인주의, 결혼 생활이 파탄 났다면 그 책임 여부를 떠나 이혼을 허용해주자는 법조계 일부 분위기도 원인이 된다.

결혼해서 살다 보면 이혼하고 싶은 충동을 느낄 때가 한두 번이 아니다. 이혼의 유혹과 이혼에 대한 환상은 너무나 달콤하고 강렬해서 이혼 직전까지 갔다가 돌아오는 부부도 많다. 물론 상습적인 폭력이나 학대에 시달리며 생명의 위협을 느끼는 상황, 혹은 대놓고 하는 외도, 부부 중 어느 쪽이든 매우 심각한 인격장애가 있을 때 등, 오히려 자녀를 위해서도 이혼하는 게 더 나은 경우가 있다. 모든 노력을 해보고 전문가 상담도 받아보았지만 전혀 개선이 되지 않고 점점 악화되는 부부라면 "그래도 이혼은 하지 말라"고 조언하지는 않는다. 가정법원에서조차 이혼을 무조건 말리고 설득하는 시대가 아니다. 오히려 이혼 후 더 행복하게 사는 사람들도 많다. 어떤 연구에서도 이혼한 사람은 반드시 불행해진다는 결과는 없다. 하지만 문제는 이혼 후 삶이 행복해진다는 보장도 없다는 것이다.

심각한 이혼 후유증

이혼의 후폭풍과 후유증은 생각보다 훨씬 심각하다. 부부뿐만 아니라 주변 가족들까지 상상 이상으로 피폐해진다. 이혼은 신체적·경제적·심리적·사회적 측면에서 큰 상처를 입힌다. 단순히 가정이 둘로 쪼개지는 일이 아니다. "수십 번 수백번도 더 고민했다. 당사자만큼 고민하는 사람은 없다. 충동적으로 이혼한 것이 절대 아니다"라고 하는 사람들조차 이혼한 뒤에는 크게 후회를 한다. "최선을 다했다. 해볼 만큼 다 해봤다"고 하지만 진정으로 최선을 다한 게 아닌 경우도 많다. "이혼은 대형 화물차에 치인 것과 같다", "이혼은 불이 난 고층빌딩에서 생존 여부도 생각해보지 않고 뛰어내리는 것이나 마찬가지이다"라고 얘기하는 사람도 있다.

배우자와 갈라서는 사람들은 당장 지옥에서 벗어나고 싶다는 일념으로 이혼을 감행한다. 이혼만 하면 하늘로 날아오를 듯 홀가분해질 것이라고 기대하지만 하늘이 무너지는 듯한 절망감에 주저앉기도 한다. 눈물을 펑펑 흘리고 상대가 한 번만, 딱 한 번만 더 기회를 달라고 애원하기를 기대하기도 한다. 이혼을 했는데도 배신감과 분노가 가시지 않아 계속 온몸이 부들부들 떨리기도 하고.

그런데 이혼 후 어떻게 살지 계획이 없는 사람이 너무 많다. 죄수가 탈옥 후 어디로 가야 할지 몰라 허둥지둥하는 꼴이라고나 할까? 아무런 대안이 없는 이혼은 위험하다. 진정으로 변하길 원하고 변화할 수 있는 능력이 있는 사람에게만 이혼은 해결책이 될 수 있다. 모든 것이 아내 때문이라고 생각하지만 재혼을 하면 비슷한 문제로, 혼자 살면 또 다른 문제로 괴로워한다.

나를 비추는 거울을 바꾼다고 내가 바뀌는 게 아니다. 두 사람이 오랫동안 함께 만들어온 생활 패턴과 습관들이 이혼 후에도 계속 이어진다. 그리고 해결되지 않은 두 사람의 문제가 헤어진 다음에도 두 사람을 묶어놓는다. 전 배우자로부터 감정적으로 자유로울 수가 없는 것이다.

재혼의 60퍼센트가 이혼으로 끝난다는 슬픈 통계에 주목하자. 첫 번째 결혼과 이혼을 통해서 얻은 교훈 덕분에 다시는 이혼을 안 할 것 같지만 현실은 그렇지 않다. 두 번째 이혼을 결정할 때는 그 과정이 비슷하기 때문에 처음보다 괴로움이 덜하다. 그래서 문제 해결의 수단으로 다시 이혼을 선택하는 경향이 있다.

하지만 이혼이 문제를 해결해주는 것은 아니다. 경험해보지 못한 새로운 문제가 산더미처럼 기다리고 있다는 것을 이혼 전에는 알지 못한다. 고통스럽고 사랑도 없는 파괴적인 관계로부터 벗어나기 위해 이혼을 선택한다지만 과연 그럴까? 부부가 도저히 같이 살 수 없는 진짜 이유가 '내 생각'과 전혀 다른 것일 수도 있다.

가족이나 가까운 사람들의 조언 때문에 이혼을 결심하는 사람도 있다. 처음에는 자신의 고민을 들어주고 공감해주며 내 편이 되어주는 사람들의 위로를 받고 힘을 얻는다. 하지만 문제는 해결되지 않고 관계만 더 악화되는 경우도 많다. 객관적인 입장에서가 아니라 한쪽 얘기만 듣고 해주는 일방적인 조언이기 때문이다.

대부분의 결혼 생활은 지켜나갈 가치가 있다. 이혼하지 않고 사는 부부들이 문제가 없어서 같이 사는 게 아니다. 변함없이 서로 사랑하기 때문만도 아니다. 경제적 이유, 심리적 안정, 그동안의 정, 고독에 대한 두려움, 종교적 이유, 성적 욕구, 가족의 반대 등 무수히 많은 이유로 결혼 생활을 유지하는 것이다. 특히 아이들을 생각해 이혼하지 않는 부모가 많다.

자녀의 복리를 가장 먼저 고려하자

부모가 행복한 결혼 생활을 못 해도 자녀들은 알아서 살아갈 방법을 찾는다. 친구나 학교생활, 취미나 운동 등 밖으로 관심을 돌리고 부모의 싸움이나 권태에 신경 쓰지 않는 식으로 자신을 지켜나간다. 폭력적이고 생명의 위협을 느끼는 결혼 생활은 당연히 청산해야겠지만, 배우자에 대한 미움이나 답답함까지 이혼으로 해결하려는 것은 위험한 선택이다.

부모에게 최선의 방법이 자녀들에게도 최선은 아니다. 이혼한 부모가 행복하면 자녀들도 행복해질 것이라는 생각은 착각이다. 그런 생각은 부모들이 죄책감을 덜기 위한 자기합리화인지도 모른다. 이혼은 부모와 자녀에게 동일한 경험이 될 수 없다. 부모에게는 이혼이 해결책이 될 수 있을지 모르지만 자녀에겐 전혀 다른 의미가 된다.

이혼 후 어느 한쪽이 행복한 재혼 생활을 하는 경우는 있어도 양쪽 다 그런 경우는 드물다. 이혼이 폭력적이고 잔인한 결혼 생활로부터 자녀들을 구출할 수는 있다. 하지만 자녀들이 평생 안고 갈 수도 있는 상처와 고통을 생각한다면 이혼은 최후의 수단이 되어야 한다.

이혼으로 가장 많은 것을 잃는 사람은 자녀들이다. 연령에 관계없이 깊은 상처를 받는다. 그 상처의 깊이는 아무도 모른다. 부모를 잃어버렸다는 상실감, 버림받았다는 절망감이 가슴속 저 밑바닥에 남아 내면의 고통으로 신음한다. 그것은 말 그대로 심장에 구멍이 뻥 뚫리는 것 같은 고통이다.

이처럼 이혼은 평생을 지배할 상처의 씨앗을 자녀의 가슴에 심는 일이다. 자신을 보호해줄 안전한 터전을 잃어버린 아이들에겐 세상은 믿을 수 없는 위험한 곳이라는 신념이 자리 잡는다. 어린 시절은 끝났다고 생각하며 부모와 함께 살던 시절을 기억하고 싶어 하지 않는다. 자녀의 마음을 병들게 하는 이혼 앞에서 과연 누구를 위한 이혼인지 깊이 질문해보자.

상처와 좌절감으로 괴로워하는 부모 중 어느 한쪽이 가장 믿을 수 있는 사람으로 자녀를 선택한 뒤, 자녀에게 의존하기도 한다. 그러면 자녀는 부모의 보호자가 되어 희생당한다. 제대로 보살핌도 받지 못한 채 자신의 자연스런 욕구조차 억압한다. 그런 자녀들은 자유롭게 부모를 떠나 다른 사람을 사랑하거나 결혼하기도 어렵다. 반대로 외로움 때문에 너무 쉽게 사랑에 빠져 충동적으로 결혼하기도 한다. 이혼 가정의 자녀들 중 3분의 1만 자녀를 출산한다는 연구 결과는 우리를 슬프게 한다.

이혼 가정의 아이들은 부모의 삶을 되풀이하지 않을까 하는 두려움, 미래와 실패에 대한 두려움으로 괴로워한다. 자신의 생각과 감정을 숨기는 방법에 익숙해져 스스로를 억압한다. 그러다 보면 타인의 감정을 읽는 데도 서툴러 인간관계에 어려움을 겪는다. 문제를 지혜롭게 해결하려는 노력은 하지 않고 쉽게 포기해버린다. 싸움에서 이기기 위한 전쟁 같은 모습만 봐왔기 때문에 효과적으로 협상하는 방법도 모른다. 술이나 담배를 찾고 비행이나 범죄에 빠지기도 하고 가출이나 자살을 감행하기도 한다. 모든 청소년 문제가 부모의 이혼 때문에 생기는 것은 아니다. 하지만 부모의 이혼은 자녀들에게 치명적인 상처를 남긴다는 것만은 잊지 말자.

만약 이혼이 최선의 선택이라고 판단해 이혼을 하더라도 부모인 당사자들의 해방감에 앞서 자녀들의 복리를 먼저 생각해야 한다. 왜 부모가 이혼할 수밖에 없는지 자녀들의 나이에 맞춰 알아들을 수 있도록 설명해주어야 한다. '아빠 엄마는 이혼을 하지만 여전히 네 엄마 아빠이며 변함없이 너를 사랑하고 있다'는 것을 느낄 수 있게 해주어야 한다.

부모가 왜 이혼하는지 아무도 이유를 제대로 설명해주지 않는 경우가 많다. 눈치로 판단하게 놔두는 것은 부모로서의 직무 유기이다. 불안과 걱정에 싸인 자녀들을 토닥이고, 이혼 후 자녀들에게 일어날 수 있는 변화에 대해 상세하게 설명해주어야 혼란에 빠지는 것을 막을 수 있다. 어떤 상황에서도 자녀를 가장 먼저 생각해야 한다는 것을 명심하자.

황혼이혼과 졸혼의 문제

평균수명이 늘어나면서 황혼이혼이 증가하고 있다. 신혼이혼보다 황혼이혼 건수가 더 많아졌다. 예전에는 "이 나이에 무슨 부귀영화를 누리겠다고"라며 참고 살았다. 그러나 요즘은 "지금부터라도 좀 사람답게 살고 싶다"며 이혼을 감행한다.

결혼을 졸업한다는 의미의 '졸혼'이 화제가 되면서 이혼의 대안으로 졸혼을 고려하는 사람도 있다. 이혼과는 달리 법적으로는 부부관계를 유지하면서 상대의 삶에 간섭하지 않고 여생을 자유롭게 사는 방식을 뜻한다. 졸혼을 해서 사이가 오히려 좋아지는 부부도 있다. 서로 원수가 되는 이혼보다는 졸혼이 차선의 해결책이 될 수 있다.

그러나 행복한 부부가 더 행복해지려고 졸혼을 선택하는 경우는 없다. 졸혼을 고려하기 전에 예방하는 것이 최선이다. 설사 자기는 졸혼을 했다고 하더라도 자녀가 졸혼을 한다고 하면 찬성할 부모가 얼마나 되겠는가? 자녀들이 부모를 번갈아가며 만나야 하는 부담은 지엽적이라 쳐도 졸혼을 숨기고 살아야 하는 가족들의 스트레스도 만만치 않다.

졸혼을 하면 자유롭게 살 수 있어서 좋다고 하지만, 나이가 들수록 일상을 함께하는 배우자의 소중함은 더욱 절실해진다. 졸혼을 하니 하고 싶었던 일을 눈치 안 보고 마음대로 할 수 있어서 좋다는 사람도 있다. 하지만 다른 사람과 딴살림을 차려도 좋다는 의미는 아니니 시간이 지나면 외로움은 어쩔 수 없다. 그렇다면 서로 하고 싶은 것을 하게 해주고 지나친 잔소리는 자제하면서 서로를 있는 그대로 존중해준다면 굳이 졸혼을 할 필요는 없지 않을까? 자아를 찾고 싶어 졸혼한다는 사람이 있지만 결혼 생활을 하면서 자아를 찾는 일이 불가능한 것도 아니다. 부부관계를 개선하기 위한 노력도 해보지 않고 이혼이나 졸혼으로 도망가서 그것을 미화하고 합리화하는 일은 공감을 얻을 수 없다.

세상에는 완벽한 부부도, 문제나 갈등이 없는 부부도 없다. 이혼이나 졸혼으로 도망치기 전에 무언가 내가 해야 할 일을 '내가 먼저' 해야 한다. 정말로 현재의 생활이 달라지고 개선되기를 바란다면 내가 먼저 행동으로 옮겨야 한다. 몇십 년간의 싸움으로도 해결되지 않았다면 이제 '싸움'은 그만두고 '변화'를 선택할 때이다.

쉽게 무너지지 않는 부부간의 친밀감과 유대감은 거창한 일로부터 시작되는 것이 아니다. 지극히 사소한 나의 변화로부터 기적은 시작된다. 너무나 간단하고 쉬워서 "겨우 그런 일로 변화가 일어나겠느냐"며 아예 시도할 생각도 하지 않기 때문에 부부 사이가 나아지지 않는 것이다. 비결은 나부터, 내가 알고 있는 것과 내가 할 수 있는 일을 바로 실천하는 것이다. 그리고 잘못한 일이 있더라도 아내를 용서하는 것이다. 용서는 성직자의 전유물이 아니다. 아내를 위해서만이 아니라 나를 위해서, 내 마음의 평화와 행복을 위해서 기꺼이 아내를 용서하고 받아들이자.

그때 그 시절

'그때 그 시절, 아내와 연애할 때도 내가 이랬을까?', '그때 그 시절, 아내와 데이트하던 때였으면 내가 어떻게 했을까?'를 수시로 되뇌며 애인에게 하듯 아내를 챙겨보자. 내가 좀 돌아가더라도 지하철 타고 간다는 아내를 차로 데려다주기, 아내가 마트에서 장 보고 들어올 때 지하 주차장까지 내려가 장바구니 들어주기, 음식 쓰레기 버리러 가는 아내 손에서 쓰레기 봉투 빼앗아 내가 갖다 버리기, 외식할 때 아내가 뭘 먹고 싶은지 먼저 물어보기, 아내가 약속 장소에 늦게 나타나도 웃는 얼굴로 맞아주기 등. 아내가 잘해줘야 나도 아내에게 잘해주는 것은 그다지 감동적이지 않다. 그러나 아내가 특별히 나에게 잘해주는 게 없는데도 내가 먼저 아내를 챙긴다면 노후가 평안해질 것이다.

50 대 50 법칙

나만 참고 나만 고생하고 나만 억울하다는 생각이 들 때가 있다. 아내 또한 그렇게 생각할 때가 많지 않을까? 그러니 참는 것도, 수고하는 것도 50 대 50이요, 하고 싶은 말을 다하지 못하는 것도 50 대 50이라고 생각해보자. 물론 내용이나 상황에 따라 비율이 조금씩 다르겠지만 생각만큼이라도 50 대 50이라고 전제한다면 극단적인 싸움은 피할 수 있다. 부부 중 어느 한쪽이 100퍼센트 잘못하는 경우는 없다. 설사 아내가 잘못을 했다고 쳐도 그것에 대응을 잘못한 내 책임도 전혀 없지는 않다.

시간 약속

시간 약속 때문에 싸우는 부부가 많다. 대체로 아내는 챙기고 준비할 것이 많은데 남편이 성격이 급해서 싸우는 경우이다. 그러나 약속에 늦어 큰 문제가 일어나는 경우가 아니라면 5분, 10분 늦는 일로 소중한 부부관계에 금가는 일만은 피하자. 약속한 모임에 늦기 싫다면 출발 시간을 아내와 함께 계산한 후 외출 준비 시간을 넉넉히 잡으면 된다. 그래도 모임에 늦는 경우, 상대방에게 미안하다는 인사를 어떻게 할지만 고민하면 된다. 조금 늦는다고 인간관계가 깨지는 것은 아니다. 그러나 아내가 매번 꾸물거려 늦을 때는 약속 시간을 30분쯤 앞당겨 얘기하는 하얀 거짓말 정도는 무방할 것이다.

거꾸로 작전

부부싸움을 하고 홧김에 집을 나오면 별의별 생각이 다 든다. '확 갈라서버려?', '집을 나가 아예 며칠 잠적해버려?', '술이 떡이 되게 마시고 오늘 집에 안 들어간다. 그래야 정신을 차리지.' 그러나 시간이 좀 지나면 그것이 답이 아님을 깨닫는다. 아내 또한 정반대로 별의별 상상을 하지 않겠는가? 소설은 그만 쓰고 맥주 한잔 정도로 화를 일단 가라앉히자. 그런 다음 정반대의 아이디어를 떠올려보자. '아내가 좋아하는 치즈케이크를 사갈까?', '아이들이 좋아하는 치킨이라도 사들고 갈까?' 아니면 '냉장고에 우유가 떨어졌던데 사가지고 들어가야겠다' 등등 무엇이든 좋다. 전혀 예상 못한 남편의 모습에 상황이 반전될 것이다.

감정 쓰레기 버리기

집안에 쓰레기가 넘치고 며칠 동안 음식 쓰레기도 치우지 않았다고 상상해보자. 시간이 지나면 악취가 코를 찌를 것이다. 마찬가지로 소화되지 않은 분노나 화, 짜증, 신경질, 원망, 억울한 감정들이 쌓이면 속이 부글거려 폭발 일보 직전이 된다. 집안 쓰레기를 수시로 버리고 청소하듯이 내 감정의 쓰레기도 자주자주 비우고 청소하자. 감정 쓰레기를 효과적으로 청소하는 방법은 사람마다 다르다. 산책, 잠자기, 개그 프로그램 보기, 음악 감상, 맛있는 것 먹기, 영화 보기, 향기 좋은 커피 한잔, 맥주 한잔, 운동, 사우나 등 내 취향에 맞는 방법을 찾아보자.

부부싸움 공소시효

부부싸움에도 공소시효를 적용해보자. 전화 한 통 없이 외박하고 들어온 죄 공소시효 ○주일, 애들 밥 안 차려주고 말도 없이 집 나가 친정에서 자고 온 죄 ○일, 물건 집어던지며 욕한 죄 ○개월. 이런 식으로 공소시효를 서로 정한 뒤, 그 기간이 지나면 다시는 과거 일로 상대를 원망하고 비난하거나 바가지 긁지 않도록 합의하는 것이다.

부부싸움 브레이크

부부가 싸우다 보면 이성을 잃는 순간이 있다. 남편 성질을 알고 아내 성격을 안다면 적당한 선에서 브레이크를 밟아주어야 하는데 때를 놓치면 끔찍한 일이 벌어진다. 부부에 따라 다르겠지만 적절한 순간에 브레이크를 밟아야 한다. 적당한 타이밍에 애교를 부리거나 휴전을 선언하고 사과하는 식으로 상황을 전환하자. 아니면 자리를 잠시 피하거나 부부싸움 후 쪽지 혹은 문자 메시지, 선물이나 외식으로 화해를 청할 수도 있을 것이다. 우리 부부에게 가장 효과적인 브레이크가 무엇인지 찾아보고 성능 좋은 브레이크 한두 개 정도는 꼭 챙겨두자.

존댓말 부부싸움

사태가 험악해져 파국으로 치달을 것 같은 예감이 들면 존댓말을 써보자. '내가 극도로 화가 나서 폭발 직전'이라는 신호가 된다. 서로 조심하게 되어 파국을 막을 수 있다. "좀 조용히 하세요!", "뭐요? 조용히 하라고요? 지금 내가 조용히 하게 생겼어요?" 비록 언성은 높고 화는 가라앉지 않았지만 존댓말 부부싸움으로 폭발 직전에 참사를 막을 수 있다면 시도하지 않을 이유가 어디 있겠는가?

앙코르 신혼여행

결혼식 직후 떠나는 여행만 신혼여행이 아니다. 부부의 마음만 신혼이면 언제 떠나든 신혼여행이다. 설사 마음이 신혼이 아니어도 더없이 행복했던 그때 그 시절로 돌아가 '내가 왜 이 사람을 평생의 반려자로 선택했던가' 돌아보자. 그러면 예전의 애틋했던 감정이 되살아날 수 있다. 결혼식도 마찬가지이다. 첫번째 결혼식만 결혼식이 아니다. 하객을 부르고 잔치를 벌이는 화려한 결혼식이 아니라도 부부가 뜻만 맞으면 앙코르 결혼식을 올릴 수 있다. 결혼사진만 찍거나 양가 직계가족들이 모여 식사만 하는 앙코르 결혼식으로도 사랑의 감정을 회복하는 것이 가능하다.

아내 휴가

어느 직장이든지 출퇴근 시간이 있고 휴일이 있고 휴가가 있다. 가정이라는 직장에서도 휴가가 필요하다. 출퇴근 시간이나 휴일, 휴가가 딱히 없는 전업주부 아내, 맞벌이나 파트타임으로 일하는 아내에게 각자 상황에 맞게 휴가를 선물하자. 아이들 뒷바라지와 남편 뒤치다꺼리에서 벗어나 온전히 자신만을 위한 하루 휴가나 1박 2일 휴가를 받으면 얼마나 좋아하겠는가? 물질적인 것으로 대신할 수 없는 최고의 선물이 될 것이다.

잘했군 잘했어 부부

노래 〈잘했군 잘했어〉의 가사를 보면 부부는 항상 "잘했군 잘했어"를 외친다. 뒷산에 매어놓은 망아지 새끼를 팔아도, 동구 밖 서마지기 땅문서를 잡혀도 "잘했군 잘했어" 한다. 이처럼 아주 잘못된 일이 아닐 경우 아내와 남편이 무엇을 해도 긍정적으로 받아들이면 큰 문제가 생기지 않는다. "아니, 웬만해야 좋다고 하지, 집사람 같은 여자에게 어떻게 '잘했군 잘했어'를 합니까?" 도저히 그런 말은 안 나온다고 항의하는 남편도 있을 것이다. 그러나 모든 것을 다 "잘했군 잘했어" 해주지는 못해도 긍정적으로 수용하는 것들을 하나씩 늘려가면 '행복한 가정'이 보상으로 따라올 것이다.

마감 시간

아내가 무엇을 부탁하면 대답만 잘 하는 남편이 있다. 그런 뒤 세월아 네월아 자기 할 일만 하고 아내가 수시로 물어봐도 "알았어, 알았다니까! 아, 한다는데 왜 그리 채근해? 재촉 좀 하지 마" 하다가 큰 싸움이 난다. "언제까지 해줄게"로 마감 시간을 정하면 싸움을 피할 수 있다. 부탁한 일을 다 마친 후 아내가 묻기 전에 먼저 얘기해주면 더욱 좋다. 직장에서도 보고만 잘 하면 인정받는 직원이 된다. '마감 시간 스스로 정하기', '즉시 보고하기'를 실천해보자.

3장

자식농사

1
아버지로
산다는 것

나는 스물다섯에 결혼을 하고 스물여섯에 아버지가 되었다. 하지만 아버지가 되는 것이 어떤 의미인지, 아버지 역할을 어떻게 해야 하는지 잘 몰랐다. 가르쳐주는 사람도 없었고 제대로 배운 적도 없었다. 남자는 밖에 나가서 돈 벌고 여자는 아이 키우고 집안 살림하는 것으로 알았다. 애가 우는데 내일 출근해야 한다며 옆방에서 자고, 아이와 씨름하는 아내를 두고 나 혼자 영화 보러 다니던 철없는 남편이고 아빠였다.

　몇 년 전 아버지 200여 명을 대상으로 강의를 한 적이 있다. "아버지가 되는 게 어떤 거라고 생각하세요?"라는 질문에 맨 앞에 앉아 있던 아버지 한 사람이 망설임 없이 대답했다. "인간 되는 거지요." 와, 웃음이 터졌다. 맞는 말이다. 미성숙한 남자가 아버지가 되면서 사람이 되는 것이다. 누군가를 보살피고 챙기면서 온전히 자신을 내어주어야 하는 것이 부모이기 때문이다. 내 시간, 내 돈 그리고 내 에너지를 끊임없이 써야 한다. 한없는 기다림과 인내, 희생이 필요한 역할이다. 연습도 없이 시작하지만 끝없이 이어진다. 도중에 포기할 수도 없다. 예전에는 돈만 잘 벌어주어도 좋은 아버지 소릴 들었는데 요즘은 아버지에 대한 가족의 요구와 사회적 기대치가 점점 높아지고 있다.

엄마 역할은 더욱 어렵다. 임신 기간 내내 그 고통과 출산은 남편이 도와줄 수도 없다. 맞벌이를 하면서도 자녀 양육은 대부분 여자 몫이어서 '독박육아'로 눈물짓는 엄마들이 많다. 출산이 임박해 아내는 병원에서 진통으로 비명을 지르는데 휴대전화로 게임이나 하고 있는 남편도 있다. 출산 후에는 24시간 꼼짝없이 아기를 돌봐야 하기에 엄마는 하루 두 시간 이상 자보질 못한다. 화장은커녕 세수도 못 할 때가 있다. 친정엄마가 해주는 밥을 먹어보는 게 소원이다. 아기의 젖 빠는 힘이 강해져 모유를 먹일 때마다 유두가 갈라지는 것 같은 고통은 남편도 모른다. "우리 손자 밥 먹는 거 좀 보자"는 시아버지는 또 어떻게 이해해야 할지……. 몸이 아파서 병원에 가 수액주사를 맞으면서도 모유수유를 해야 할 때는 눈물이 난다. 아이가 좀 커서도 용변을 보거나 샤워를 하려면 문을 열어놓은 채 아이에게 온갖 애교나 재롱을 떨어야 간신히 일을 마칠 수 있다.

요즘 저출산이 국가적인 문제인데 자녀 양육 부담도 큰 원인 중 하나이다. 결혼한 딸아이가 손녀를 키우는 모습을 보면 애 하나 키우기가 얼마나 어려운지를 절감한다. 그러니 출산 장려금 얼마 준다고 젊은 여성들이 애를 낳겠는가. 너무나 오래된 일이어서 까맣게 잊고 있었지만 아내의 노고에 대해 진심으로 감사한다. 그 짐을 함께 나눠 지지 못해 못내 가슴이 아프다.

엄마 아빠 두 사람이 필요하다

이제 돈 버는 일도 부부가 함께하고 아이 키우는 일도 부부가 힘을 모아야 한다. 아이는 엄마 혼자 키울 수 없다. 아이가 점점 성장할수록 아빠의 손길이 더욱 필요하다. 아이가 아들인 경우에는 더욱 그렇다. 아들이 사춘기가 되어 성에 눈 뜨기 시작하면 엄마가 감당하기 어려운 부분이 있다. 딸아이의 첫 생리 때 따뜻하게 다독거려주는 일은 아빠가 제대로 하기 어려운 것처럼 말이다.

보통은 여성이 남성보다 공감 능력이 뛰어나다. 엄마는 아이의 말과 행동에 적절히 공감하며 반응을 해주고, 아빠는 객관적인 입장에서 아이들이 자신을 들여다볼 줄 아는 안목을 심어주면 자녀가 균형 있고 건강하게 성장할 수 있다. 또 부모 한쪽이 혼을 내면 다른 한쪽은 부드럽게 어루만져주는 역할 분담이 필요하다. 아이들과의 민망한 말싸움으로 아내가 난처해졌을 때 아빠가 적절하게 개입해서 엄마의 권위를 세워주어야 한다. 아내가 지쳤을 때도 남편의 따뜻한 위로와 격려가 큰 힘이 된다.

아이들에게 질질 끌려다니는 부모도 있는데, 아내와 남편이 한 팀이 되어 중심을 잡아야 한다. 아무리 키우기 어려운 아이라도 부모 두 사람의 경험이나 지식, 정보력, 체력, 경제력을 동원해 대응하면 아이 뜻대로 끌려다니는 일은 없을 것이다. 아이들에게도 영악한 면이 있어서 부모를 시험하거나 "가출해버릴까", "확 죽어버릴까" 하면서 부모의 죄책감이나 불안을 자극하기도 한다. 그런 때일수록 부모가 더 힘을 합해야 한다. 한두 해만에 끝나는 부모 역할이 아니다. 그렇기에 두 사람이 똘똘 뭉쳐 지혜롭게 대처해 나간다면 긴긴 마라톤 같은 부모 역할을 훌륭하게 수행해낼 수 있을 것이다.

아버지 교육의 필요성

아버지는 자녀들의 전 생애에 걸쳐 절대적인 영향을 미치는 존재이다. 그런 아버지 역할을 제대로 하기 위해서는 공부가 필요하다. 오래 전부터 자녀교육에서 어머니 역할의 중요성은 많이 강조되어왔지만 아버지는 주변인 정도로 인식되어온 것이 사실이다. 하지만 자녀들의 사회성이나 도덕성, 인지 발달에는 아버지의 역할이 중요하다. 아이들의 발달 단계에 따라 아버지 역할은 끊임없이 변화해야 하며 아이들의 기질이나 성별에 따라서도 대처 방법을 달리 해야 한다.

격변하는 이 시대의 바람직한 아버지상을 정립하기 위해서도 교육이 필요하다. 자신의 성장에 영향을 주었던 아버지는 이 시대의 바람직한 아버지 모델이 아닐 수도 있기 때문이다. 핵가족이 보편화되면서 어른들에게 조언을 구하고 도움을 받기가 어려워졌다. 다급한 경우 어떻게 대처해야 할지를 잘 모르는 아버지들에게 아버지 교육은 큰 도움이 된다. 물론 인터넷을 통해서도 많은 정보를 접할 수 있지만, 어떤 정보가 정확하고 유용한지 식별하기가 어렵다. 자식을 키우는 것은 참으로 어렵고도 길고 긴 여정이다. 아버지 교육을 통해서 문제해결 능력을 높이고 감정을 조절하는 방법도 배워보자.

아버지로서의 즐거움과 보람

'도를 닦고 싶으면 아이를 낳아서 키워보라'는 말이 있다. 그러나 자녀 양육이 끊임없는 희생만 강요하는 것은 아니다. 아

이를 키우면서 느끼는 즐거움과 기쁨, 보람은 그 어떤 것으로
도 대체할 수 없다. "종일 일하고 피곤해 죽겠는데 집에 가서
또 아빠 노릇까지 해야 하느냐"고 투덜거리는 사람도 있지만,
아이 키우는 것이 특권이기도 하다는 사실을 몰라서 하는 소
리이다. 하루가 다르게 성장하며 예쁜 짓을 하는 아이들은 신
비 그 자체이다. 머리를 겨우 가누다 기어 다니고, 배를 밀고
기어 다니다 일어나 앉고, 그러다가 일어서서 첫 걸음을 내디
딜 때의 그 감격, 아이가 처음으로 "아, 빠"라고 발음할 때의
환희를 어떻게 말로 다 표현할 수 있을까? 끊임없이 재잘거
리며 아빠를 깜짝깜짝 놀라게 하고 감탄하게 만드는 아이들
의 어휘력과 창의력은 상상을 초월한다. 보드라운 살결과 달
콤한 살 냄새, 해맑은 웃음은 피곤을 날려주는 활력소이며 살
아가는 이유이다.

자녀만 크는 것이 아니라 부모 자신도 성장하는 기쁨을 누
린다. 자식이 결혼해서 낳은 손주의 재롱을 보며 웃고 즐기는
순도 높은 행복감은 인생 최고의 선물이며 축복이다. 제대로
키울 자신이 없어서 아이를 안 낳는다는 사람들도 있다. 하지
만 부모가 한두 번 실수한다고 해서 자녀들의 인생이 망가지
지는 않는다. 지나치게 걱정하거나 너무 비장하게 생각할 필
요는 없다. 아이들은 그런 상처를 딛고 스스로 일어날 수 있는
힘이 있으며, 부모 또한 그런 시행착오를 겪으며 성숙해간다.

먼 훗날 내가 세상을 떠나고 나면 우리 딸과 아들은 나를 어떤 아버지로 기억할까? 돌아보면 참 부족한 아빠였지만 나름대로 열심히 노력한 점은 스스로 칭찬을 해주고 싶다. 내가 고2 때, 아버지는 손주의 재롱도 보지 못하고 세상을 떠나셨다. 너무 일찍 떠나셔서 식사나 약주 한잔 대접하지 못했다. 나만은 오래도록 건강하게 살아남아 아이들에게 그런 아쉬움을 남기지 말고, 짐이 되기보다는 힘을 북돋아주는 아버지가 되고 싶다. 사위와 며느리에게도 좋은 장인, 좋은 시아버지가 되고 싶다. 그리고 손녀, 손자들에게도 부끄럽지 않은 할아버지가 되는 것이 나의 소망이다.

2

부부노선의
통일

아이들을 정말 잘 키우려면

내 아이를 정말 잘 키우고 싶은 것은 모든 부모들의 소망이
다. 그럼 자녀를 어떻게 키워야 정말 잘 키우는 것일까? 그에
대해 자신만의 명확한 그림을 가지고 있는 부모가 의외로 적
다. 사격선수나 양궁선수는 표적이나 과녁이 정확하지 않으
면 목표 지점에 명중시킬 수 없다. 마찬가지로 자녀교육의 목
표가 명확하게 설정되어 있지 않으면 에너지만 낭비하게 된
다. 막연히 공부 잘하고 부모 말 잘 듣는 것, 이런 추상적인
목표로는 자녀들을 훌륭하게 키우기 어렵다.

자녀의 직업으로 자식농사의 성패를 따지는 부모도 있다.
의사나 변호사 같은 전문직에 종사하는 자녀로 키웠다고 해
서 자녀의 삶이 행복해지는 것은 아니다. 일류대학을 나와도

취업하기 곤란한 요즘, 학력이 성공을 보장해주지도 않는다. 하지만 여전히 일류대학을 나와야 취업이나 결혼을 잘할 수 있고 일류대가 성공과 행복을 보장해준다고 믿는 부모가 있다. 그래서 무리하게 사교육에 올인하다가 '에듀푸어'로 전락한다. 한때 화제가 되었던 드라마 〈SKY 캐슬〉 같은 비극을 부르기도 한다. 이는 자식농사의 실패로만 끝나는 것이 아니라 부모들의 노후도 위협하고 사회안전망을 위태롭게 하며 국가문제로 이어지기도 한다.

자녀교육의 목표 명확히 세우기

아내와 나는 아이들이 어릴 때부터 어떻게 키워야 잘 키우는 것인지를 함께 고민했다. 그리고 건강한 사람, 자기 힘으로 설 수 있는 사람, 누구와 어울려도 잘 지낼 수 있는 사람으로 키우자고 뜻을 모았다. 다른 집은 애들을 다 학원에 보내도 딸아이나 아들 녀석이 원치 않으면 강요하지 않았다. 비밀 과외를 시킨다고 동네 엄마들이 수군대기도 했다. 친구들이 다들 학원에 가고 없어서 같이 놀 친구가 없었던 아들은 혼자 자전거를 타고 아파트를 빙빙 돌기도 했다. 주위에서는 그렇게 키우면 나중에 후회한다고 했다. 그러나 흔들리지 말자고 아내와 함께 결의를 다지고 또 다졌다. 무엇보다 경제적으로 독립시켜서 잘 떠나보내는 것, 아이들이 행복하게 사는 것을 우리 목표로 삼았다. 물론 그러면서도 의견 차이로 다투기도 하고 서로를 원망한 적도 있다. 하지만 일치된 목표가 있었기에 큰 혼란 없이 우리의 노선을 지킬 수 있었다.

자녀교육에 대한 목표를 설정할 때는 그것이 진정으로 자녀들을 위한 것인지, 아니면 부모의 대리만족을 위한 목표인지 따져봐야 한다. 엄마와 아빠의 자녀교육관이 다르고 자녀들 또한 재능과 적성이 다르기 때문에 정답이 없다. 자녀의 홀로서기가 목표일 수도 있고 자녀의 행복이 궁극적인 목표가 될 수도 있다. 자녀들이 정말 하고 싶은 일, 잘할 수 있는 일을 찾아주는 것 또는 행복한 가정을 꾸리게 하는 것이 목표일 수도 있다.

그런데 아이들을 잘 키우고 싶은 소망은 같으면서도 자녀교육관이나 자녀 양육 태도의 차이로 사사건건 싸우는 부모가 있다. 아이들을 잘 키우기 위해서 하는 그 싸움 때문에 아이들 마음에 상처를 남기고 오히려 자식농사를 망친다면 그것만큼 어리석은 일은 없다. 무엇보다 자녀들 입장에서 고민해보자. 타인의 시선을 의식하지 않고 살 수는 없기에 다른 아이들과 비교가 될 때는 속상해지는 순간도 많을 것이다. 자녀교육을 현실적으로 책임지는 엄마들은 대책도 없이 그냥 놀리라는 아빠처럼 한가할 수가 없다. 친구 아이들과 비교되기도 하고 "그렇게 놀리면 나중에 후회한다"고 겁을 주는 동네 엄마나 학원 선생들의 공포 마케팅 때문에 불안에 휩싸일 때도 있다. 하지만 다른 아이들과 비교하는 우는 범하지 말아야 한다. 그리고 자신들의 불안을 덜기 위해 자녀들을 획일화된 교육 방식에 끼워 맞추는 일은 없어야 한다.

초등학생, 중·고등학생들이 성장하고 결혼하여 30~40대가 되고 50~60대가 되었을 때 어떤 문제로 갈등하며 싸우는지를 상담실이나 가정법원에서 자주 목격한다. 덕분에 좋은 성적이나 일류대, 억대 연봉이 다가 아님을 일찌감치 깨달았다. 당장의 성적이나 대학 입학이 아니라 좀 더 먼 미래를 내다보고 자녀교육 목표를 설정하자.

시골의 가난한 부모 밑에서 갖은 고생을 하다가 서울로 올라와 자수성가한 남자가 있었다. 그의 유일한 소망은 하나밖에 없는 아들이 돈 고생 안 하고 사는 것이었다. 일류대학을 나와야 무시당하지 않고 산다는 절대적인 믿음을 가진 사람이었는데, 넷이나 되는 딸들은 안중에도 없었다. 좀처럼 기대에 부응하지 못하고 요리사가 되겠다며 고집만 부리는 고1 아들에게 "부모가 모든 것을 다 해주니 공부만 하면 되는데 그것도 못 하느냐"며 다그쳤다. 그러나 아들은 아버지와 달랐다. 인생에 공부가 다가 아니며 일류대가 성공을 보장해주는 시대도 아니라는 게 아들 생각이었다. 자신의 아버지로부터 아버지 역할에 대해 보고 배운 바가 없었던 남자는 아들과 소통이 잘 되지 않았다. 남편 눈치나 보며 끌려다니는 아내 역시 지혜로운 엄마 역할을 제대로 하지 못했다. 급기야 아들이 가출을 했고, 남자는 아들 얼굴을 다시는 안 보겠다고 선언했다.

"상담실에 내가 왜 가?"냐며 따지는 남편에게 아내는 아들 문제를 해결하기 위해서는 아버지의 도움이 절대적으로 필요하다며 설득해 겨우 상담실에 오게 하는 데 성공했다. 처음부터 아들 얘기를 하지 않고 아버지의 심정에 초점을 맞춰 얘기를 풀어나갔다. "얼마나 화가 나고 답답하고 안타까우시겠느냐"는 말로 시작해서 "그동안 참 고생이 많으셨다. 아들의 미래를 생각하면 걱정이 많겠다"며 본론으로 접근했다. 대화가 자연스럽게 이어지자 그는 자신이 아들 나이였을 때의 얘기를 시작했다.

집에 쌀이 없어 굶었던 일, 수업료를 내지 못해 학교에서 쫓겨나 무작정 서울로 상경해 공장에서 먹고 자며 고생했던 시절의 이야기를 하면서 눈시울을 붉혔다. 과거의 상처 때문에 아들의 미래에 대해 지나치게 불안해했던 자신을 발견하면서 그는 마음의 문을 조금씩 열었다. 당장의 성적이나 일류대 입학도 결국 아들이 행복하게 살기를 바라는 것 아니냐는 말에 아버지는 동의했다.

나는 자녀교육을 농사에 비유하여 설명했다. 수확을 많이 하기 위해 무조건 거름과 물을 많이 주는 건 농사를 모르는 일이다. 우선 토양을 살피고 제때에 잡초도 뽑고 병충해도 예방하면서 때를 기다려야 한다는 말에 그는 고개를 끄덕였다. 아들을 나무에 비유하면, 화목한 집안 분위기가 햇볕이고 칭찬과 격려가 물이며 인내와 기다림이 거름이라는 말로 차근차근 아버지를 설득했다. 두 차례의 상담 후, 1차 목표는 아들이 더 이상 가출하지 않고 학교에 잘 적응하기, 2차 목표는 고등학교 졸업, 3차 목표는 어느 대학이라도 좋으니 아들이 원하는 대학교에 입학하는 것으로 정했다. 거기서 한 발 더 나아가 아들이 요리사를 계속 고집하면 먼저 요리를 배우고 대학교는 본인이 원할 때 가는 것까지를 아버지가 전격적으로 수용하면서 사태는 급진전되었다. 가장 놀란 사람은 아빠가 자기 말은 절대 안 들을 것이라고 못 박았던 아들이었다.

위 사례를 통해 자녀의 성적 향상과 일류대 입학을 그렇게 고집하는 궁극적인 목적이 무엇인지, 부모 자신의 내면을 좀 더 깊이 들여다보자. 그런 다음 자녀와 함께 목표설정을 한다면 부모, 자녀가 모두 행복이라는 열매를 딸 수 있다.

부부는 하나의 팀이다

시류에 휩쓸리지 않고 자신의 철학을 지켜나가기 위해서는 부부의 팀워크가 중요하다. 혼자 힘으로는 각종 유혹과 끊임없이 찾아오는 불안을 떨쳐내기 힘들다. 조급함과 불안도 경계해야 한다. '이러다가 아이 인생 망치는 건 아닐까? 나중에 아이들이 부모를 원망하진 않을까?' 하는 조바심이 몰려오면 결심이 흔들린다. "당신 때문에 아이들 다 망쳐났다"고 아내가 원망을 늘어놓기 시작하면 초심을 유지하기 어렵다. 그런 때는 자기 자신과 아내, 그리고 아이들을 믿고 기다리는 인내가 필요하다.

아이들을 키워보면 일관성이 얼마나 중요한지를 절감한다. 기분에 따라 이랬다저랬다 하면 아이들은 눈치를 보며 혼란에 빠진다. 물론 상황에 따라 융통성도 필요하지만 원칙이 무너지기 시작하면 아이들은 자기 편한 대로 궤변을 늘어놓으며 부모를 시험하고 원망하며 반항한다.

목표와 원칙을 정해도 아이들을 키우면서 맞닥뜨리는 수없이 많은 문제 앞에서 어떻게 해야 할지 몰라 우왕좌왕할 때가 많다. 부모 노릇을 처음 해보기 때문이다. 그런 때는 부부가 끊임없이 정보를 공유하고 상의하면서 조율해나가는 것이 최선이다. 어떤 실수도 하지 않는 부모는 없으며 완벽한 부모가 되려고 애쓸 필요도 없다. 자녀 문제로 힘들어지면 배우자를 탓하며 싸우기 쉽다. 하지만 그런 태도는 문제를 해결하는 데 하등 도움이 되지 않는다.

"여보, 애들 때문에 많이 속상하지? 하지만 어쩌겠어? 우리 마음대로 안 되는 일도 있는 거지. 그리고 우리 인생에 자식이 전부는 아냐. 당신 옆에 내가 있잖아. 여보, 힘내. 내가 오늘 한턱 쏠게. 뭐 먹을래? 당신 좋아하는 스파게티? 아니면 와인 한 잔할래?" 이렇게 아내를 위로하고 격려하며 팀워크를 다져나 간다면 자식농사를 망칠 확률은 거의 없다.

부모의 동맹과 자식과의 경계

이처럼 자녀 양육을 위해 부모가 맺는 '부모동맹'은 부모로서의 책임을 다하고 한계와 지침을 정하는 데 매우 효과적이다. 하지만 '세대 간 동맹'은 그렇지 않다. 예를 들어 부모 중 한쪽이 알코올중독자인 경우 나머지 한쪽이 자녀 중 한 명에게서 위안과 동료 의식을 얻는 것이 세대 간 동맹의 전형적인 예이다. 부부간에 해결되지 않은 갈등이나 긴장이 있을 때 자녀들을 끌어들이는 동맹은 가족의 위계를 위협한다. 그리하여 '충성심 갈등'을 불러일으키고, 부모의 권력투쟁 속에서 자녀들이 이리저리 끌려다니며 감정적인 문제, 대인관계 문제로 고통받는다. 부모와 자식 간에는 '경계'가 명확해야 한다. 경계가 불명확하고 지나치게 밀착되어 있는 관계는 결코 건강하지 않다. 그러나 경계가 필요하다고 해서 부모 자식 사이가 경직되거나 분리되어야 한다는 뜻은 아니다.

부모와 자녀 간에 명확한 경계가 있는 가족은 안정되고 융통성이 있으며 가족들끼리 서로 지지하고 상호 간의 자율성을 존중한다. 또한 부모의 리더십과 권위도 강화해주며 자녀 양육 및 훈육을 효과적으로 수행할 수 있게 해준다.

부모 역할은 끝이 없다. 대학 입학만 시켜놓으면 다 되는 게 아니다. 자녀의 대학 졸업이나 취업으로 부모로서의 과업이 끝나는 것도 아니다. 많은 부모들이 아이들 결혼만 시키면 부모 역할은 끝이라고 생각하지만 그 또한 착각이다. 또 다른 부모 역할에다 할아버지, 할머니 역할까지 시작된다.

자녀의 대학 합격 여부나 결혼 생활의 행불행은 부모가 선택할 수 있는 게 아니다. 부모로서 바라는 것을 이루기 위한 최고의 방법은 아버지인 내가 할 수 있는 최선을 다하는 것뿐이다. 그리고 결과는 담담히 받아들여야 한다. '어떻게 할 수 없는 것'을 어떻게 해보겠다고 무리하면 원하는 것도 얻지 못하고 돈과 시간과 에너지만 낭비하게 된다. 내가 할 수 있는 일, 내가 해야 할 일을 기꺼이 하고 그때그때 생기는 문제는 부부가 힘을 모아 대처하면 된다. 걱정을 당겨서 하지 말자. 걱정은 몸과 마음만 해칠 뿐이다.

비합리적 신념 유의하기

집단따돌림 때문에 자살하는 아이들의 얘기가 심심치 않게 보도되는 요즈음 부모들의 걱정이 날로 커지고 있다. 자기 아이가 왕따와 집단따돌림으로 시달리지 않을까 걱정하는 부모가 있었다. 그들은 아이가 성장이 느려 왜소한 데다 내성적이고 자기표현마저 서툴러 '왕따'의 표적이 되지는 않을까 걱정돼 상담실을 찾았다.

우선 그들에게 집단따돌림을 100퍼센트 예방할 수 있는 비결은 없다고 했다. 하지만 어느 정도 예방하는 방법은 있으며, 최선을 다했으나 그런 일이 생겼을 때 대처할 수 있는 방법도 있다고 알려주었다. 집단따돌림의 상처가 있지만 잘 극복하고 오히려 성장의 발판으로 삼은 아이들의 얘기도 들려주었다.

집단따돌림을 당하는 경우 가장 중요한 것은 부모로부터 듬뿍 사랑받고 있다는 믿음을 심어주는 것이다. 나는 소중한 사람이며, 소중한 나를 괴롭히는 아이들이 있을 때 부모님께 얘기하면 언제든 해결해준다는 믿음을 말이다. 잘못할 때 날 야단치기는 하지만 부모와는 어떤 얘기도 할 수 있다는 믿음, 부모님께 얘기하면 열 일 제치고 나서준다는 믿음만 있으면 아이들은 부모에게 먼저 알린다. 학교 선생님에게는 얘기 못해도 부모와 먼저 상의할 것이다. 친구들이 협박하고 겁을 주어서 자녀가 왕따 사실을 숨기더라도, 애정과 관심으로 주의 깊게 자녀의 행동을 살펴보면 그 낌새를 눈치 챌 수 있다. 갑자기 말수가 줄고 우울해하며 크고 작은 상처가 계속해서 보이거나 집안의 돈을 가져가는 일이 생긴다. 학교에 가기 싫어하며 두통이나 복통을 호소하기도 하고 밤에 잠을 못 이루거나 악몽에 시달리기도 한다.

자녀가 잘못을 저질렀다고 해도 자녀 입장에서 먼저 얘기를 들어주고 감정을 읽어주는 태도가 중요하다. 지나친 불안으로 걱정하는 부모들은 몇 가지 공통점이 있다. 그런 일이 발생할 확률이 지극히 낮은데 100퍼센트 그런 일이 일어날 거라고 믿는다. 게다가 늘 최악의 상황만을 상정한다. 그리고 그런 불행한 일이 일어났을 때 대처할 만한 능력이 전혀 없다고 무의식적으로 가정한다. 심리학에서 얘기하는 '비합리적 신념'이다.

행복에
직결되는 것

자녀 교육의 최종 목표는 무엇일까? 일류대 합격이나 대기업 취업이든, 부자가 되는 것이든, 유명해지거나 성공한 사람이 되는 것이든, 궁극적으로는 우리 아이가 행복하게 살기를 바라는 게 아닐까. 그렇다면 미래에 우리 아이들의 행복과 직결되는 것이 무엇일까를 더 깊이 고민해야 한다.

자존감과 애착

20년 가까이 몸담았던 회사의 대표이사를 스스로 내려놓고 2000년, 가정경영연구소를 설립했다. 내 삶의 방향을 180도 바꾸는 새로운 도전이었지만 두렵지 않았다. 이제껏 인생을 아주 엉터리로 살지 않았다면, 그리고 아내와의 관계만 원만

하다면 무엇을 해도 해낼 수 있을 것 같은 자신감, 부모님이 물려주신 자존감 덕분이었다.

나는 4남매의 막내로 4분의 1 이상의 사랑을 듬뿍 받고 자랐다. 어렸을 때 내가 가장 많이 들었던 얘기가 "학중이, 학중이, 우리 학중이"였다. "우리 학중이는 뭘 해도 잘할 녀석, 앞으로 큰일을 할 녀석"이라는 칭찬을 수없이 들었다. 친척들까지 나를 그렇게 칭찬했다. 그분들이 날 알면 얼마나 알겠는가? 부모님이 나를 대하는 태도가 곧 그분들의 평가가 된 것이다.

행복한 삶에서 빼놓을 수 없는 것이 자존감이다. 자존감은 자존심과는 다르다. 잘못된 자존심은 타인의 비판을 받아들일 줄 모르게 하며 자만으로 빠지게 한다. 자존감은 자신감과도 미묘한 차이가 있는데, 진정한 자존감은 자신감을 동반하지만 자신감이 자존감을 담보하지는 못한다.

자존감은 부모가 가르칠 수도 없고 돈으로 살 수도 없다. 그런데 이 자존감이 부모와 절대적인 연관성이 있다. 자녀의 평생 삶에 자양분이 되는 자존감은 어릴 때 부모가 줄 수 있는 최고의 자산이다. 자녀를 있는 그대로 받아들이고 하나의 인격체로 존중해주는 태도가 자존감의 원천이다. '공부 잘하고 말 잘 들으면 내 자식이요, 말썽만 피우고 공부 못 하면 내 새끼 아니다', 그런 조건부 사랑으로는 자존감을 키워줄 수 없다.

자존감 못지않게 중요한 것이 부모와의 건강한 애착이다. 애착이란 부모나 특별한 인물들과 형성하는 친밀한 사회적 유대를 말한다. 인간 애착 행동에 관한 고전적 연구 중의 하나가 미국의 심리학자 해리 할로우Harry Harlow의 원숭이 실험이다. 우유병을 달아놓은 차가운 철사 엄마 인형과 부드러운 헝겊으로 감쌌지만 먹이는 나오지 않는 헝겊 엄마 인형을 우리 속에 함께 넣고 아기 원숭이의 행동을 관찰했다. 그랬더니 아기 원숭이는 배가 고플 때는 철사 인형에 매달려 우유를 먹었지만 대부분의 시간은 헝겊 인형에 매달려 있었다. 천적의 사진이나 큰 소리로 극단적인 공포를 주었을 때도 헝겊 인형에 매달려 진정이 될 때까지 머물러 있었다.

이 연구 결과는 자녀들에게 단순히 먹을 것이나 용돈, 물질적인 보상보다 따뜻한 안정감을 주는 게 얼마나 중요한지를 말해준다. 발달심리학과 응용심리학에서는 부모와의 최초 애착관계가 대인관계의 질을 결정하는 중요한 변인이라고 강조한다. 애착 형성은 쌍방향적이어서 아이의 기질과도 무관하지 않지만, 자주 안아주고 놀아주면서 진정으로 사랑하고 있다는 것을 피부로 느끼게 해주어야 애착은 형성된다.

하지만 애착과 자존감이 중요하다고 해서 모든 것을 자존감과 애착에만 연결할 일은 아니다. 자녀의 좌절된 욕구와 위로받지 못한 감정은 잘 살피고 다독여주어야겠지만 적절한 좌절은 발달의 중요한 요소이기도 하다. 작은 좌절에 지나치게 걱정하거나 불안해할 필요는 없다. 애착은 중요하나 인생 성공의 보증수표는 아니다.

원만한 인간관계

행복한 삶에 있어서 가장 중요한 요소 중의 또 하나가 원만한 인간관계이다. 그런데 주위를 돌아보면 안타까운 사람들이 많다. 잘난 척하고 자기밖에 모르는 사람, 남을 무시하고 험담하는 사람, 매사에 부정적이고 불평만 하는 사람, 지나치게 의존적이고 늘 징징거려 만나면 힘든 사람, 말끝마다 거짓말이어서 도무지 믿을 수가 없는 사람, 사람들 사이를 이간질하는 사람 등등. 우리 아이들을 최소한 그런 사람으로는 만들지 말아야 하지 않을까?

그러려면 부모가 원만한 대인관계의 모습을 평소 생활을 통해 보여주는 것이 최선이다. 일부러 보여줄 필요도 없다. 자녀들은 끊임없이 부모를 지켜보고 그대로 닮기 때문이다. 나의 이런 부분, 아내의 저런 부분은 제발 안 닮았으면 하는 부분까지 아이가 닮은 걸 발견하곤 깜짝깜짝 놀랄 때가 있다. 인간관계의 지혜는 부모가 말로 가르칠 수 있는 게 아니다. 가장 중요한 것은 부모의 태도이다. 아내와 갈등이 생길 때 어떻게 푸는지, 의견이 다를 때 어떻게 조정하는지, 자녀들은 하나하나 보고 있다. 친가와 외가 사이에 오해나 불화가 생겼을 때 아빠는 어떻게 대처하는지, 다른 사람들과 어떻게 소통하고 관계를 맺는지를 보고 자녀들은 인간관계의 지혜를 배운다. 다음은 초등학교 6학년 어린이의 글짓기 일부이다.

참 신기했다. 며칠 전 그렇게 싸우던 엄마 아빠가 오늘은 다정하게 영화도 보고 외식한 뒤 웃으면서 들어오다니, 이해할 수가 없었다. 아빠는 성격이 급하다. 엄마는 느긋하고. 우리 집은 아빠가 언성을 높이는 일이 많다. 아빠가 화를 내면 엄마는 아무 말도 안 하고 조용히 참는다.

그러다 엄마가 도저히 화를 참지 못해 폭발한 일이 있었다. 그날은 죽을 때까지 잊지 못할 것이다. 그때 엄마는 우리 엄마가 아니었으니까. 초등학교 1학년인 여동생은 무섭다며 울고불고 난리가 났다. 하지만 아빠가 수습을 해주었다. 우리 아빠는 뒤끝이 없다. 싸울 땐 싸우더라도 엄마에게 먼저 사과하고 우리에게도 설명을 해주신다.

"아빠 엄마도 완벽한 사람이 아니야. 너희 앞에서 싸운 건 미안해. 다시는 안 싸울게. 하지만 너희도 친구들과 싸우는 일이 있잖아. 엄마 아빠도 의견이 달라 싸울 때가 있는 거야."

나는 결혼하면 안 싸울 것이다. 어쩔 수 없이 싸우게 되더라도 아빠처럼 내가 먼저 사과할 것이다.

타인을 배려하는 태도와 공공장소에서 지켜야 할 예절도 반복해서 가르쳐주어야 한다. 음식점에서 조용히 하고 거실에서 뛰지 말아야 하는 이유, 공공장소에서 큰 소리로 통화하는 걸 자제해야 하는 이유를 하나하나 가르쳐주어야 한다. 뒷사람을 위해 문을 잡고 기다려주는 매너, 그렇게 친절을 베푸는 사람에게 고맙다고 인사하는 태도, 좁은 복도에서 다른 사람과 마주쳤을 때 옆으로 서서 길을 비켜주는 모습 등도 마찬가지이다. 다른 사람들에게 항상 베푸는 부모의 모습은 자녀들에게 훌륭한 교과서가 된다.

원만한 인간관계를 위해서는 감정조절이 필요하다. 감정조절의 모델 역시 부모이다. 평소에 내가 어떻게 감정을 표현하고 조절해왔는지 되돌아보자. 화를 내거나 짜증을 내기 전에 왜 화가 났는지를 아내나 자녀에게 찬찬히 설명하는 모습은 아이들에게 그대로 학습이 된다. 화부터 내고 욕부터 내뱉어 낭패를 본 아빠의 경험담을 들려주는 것도 나쁘지 않다. 하지만 그런 실수를 자주 하는 아빠가 되어서는 안 된다.

만족지연

심리학 분야에서 고전으로 얘기되는 마시멜로 실험이 있다. 1960~1970년대 스탠퍼드대학교의 심리학자 월터 미셸Walter Mischel이 실시한 유명한 실험이다. 그는 3~5세 정도된 유아들에게 맛있는 마시멜로를 보여주며, 지금 먹으면 한 개밖에 먹을 수 없지만 15분만 참으면 두 개를 먹을 수 있다고 설명해주었다. 그러고는 실험실을 나갔다. 단 몇 분도 참지 못하고 마시멜로를 바로 먹어버리는 아이들이 있는가 하면, 노래를 부르거나 기도를 하거나 몸을 비틀고 잠을 자는 척하며 먹고 싶은 충동을 잘 참아내는 아이들도 있었다.

14년 후, 실험에 참가한 아이들을 추적 조사해보니 충동을 잘 참아낸 아이들은 학업성취도가 높고 대인관계도 원만한 반면 그렇지 못한 아이들은 비만이나 약물중독, 사회부적응에 빠진 비율이 높았다. 물론 그 실험의 한계를 지적하며 가정환경이나 부모의 교육 수준, 신뢰도 같은 다른 변인을 주장하는 학자도 있다.

어쨌든 마시멜로 실험에서 강조하는 개념이 바로 '만족지연'이다. 냉장고에 먹을 것이 가득하고 전화만 하면 바로 음식이 배달되는 이 시대의 아이들은 '결핍'을 모르고 자란다. 요구하지 않았는데도 부모가 장난감이나 용돈, 옷을 갖다 안기는 환경에서 아이들은 참을 필요도 없고 고마움도 모른다.

사고 싶고 갖고 싶고 먹고 싶은 욕구가 즉각 충족되지 않으면 참지 못하고 떼를 쓰며 화를 낸다.

무언가를 사주더라도 생일이나 졸업식, 어린이날, 크리스마스 등 명분이 있거나 사주어야 할 때 사주는 것이 좋다. 그리고 분수에 넘치는 것을 요구하면 자기 돈을 보태게 해야 한다. 용돈을 아끼고 세뱃돈을 저축하고 아르바이트를 해서라도 돈을 모으며 기다리는 연습은 소중한 체험이다. 그렇게 해서 원하는 것을 얻으면 말 한마디로 얻어낸 것보다 만족도가 훨씬 높다. 그런 만족지연 능력을 키워주지 못하면 극단적으로는 신용불량자가 되어 카드 돌려막기를 하거나 한탕을 노리고 복권이나 로또에 매달리고 범죄를 저지르는 어른이 된다.

돈에 대한 가치관

돈에 대한 건전한 가치관과 현명한 소비습관도 행복한 삶을 위해 대단히 중요하다. 살아가는 데 돈이 전부는 아니지만 돈 없이는 못 사는 것이 자본주의 사회이다. 돈이 많으면 많을수록 좋다고 생각하지만 행복경제학자들의 연구에 따르면 일정 수준 이상의 재력은 행복지수와 큰 관련이 없다.

현명한 소비습관은 어릴 때부터 키워주어야 한다. 성인이 되어서 그런 습관을 몸에 익히기란 매우 어렵다. 용돈 범위 내에서 쓰는 습관, 땀 흘려 정직하게 벌고 절약하는 습관, 검소하게 사는 습관은 큰돈을 버는 것보다 훨씬 중요하다. 열심히 일해서 좋은 차, 넓은 집, 갖가지 편리하고 근사한 것들을 사들이지만 나중에는 그 '멋진 쓰레기'들을 버리느라 또 돈을 지불해야 하는 악순환에 빠진다. 그리고 돈을 벌기 위해서 희생한 건강이나 가족과의 화목한 시간, 부부의 일상적인 대화 같은 소중한 가치는 다시 회복하기 어렵다. 어릴 때부터 돈의 양면성과 돈에 대한 건강한 가치관을 제대로 가르칠 일이다.

회복탄력성

회복탄력성은 불행과 역경, 시련을 이겨내고 오뚝이처럼 다시 일어서는 인간 내면의 신비한 힘이다. 어떤 사람은 조그만 시련에도 바로 포기하고 주저앉지만 어떤 사람은 절망과 실패 속에서도 끝까지 포기하지 않고 기사회생한다. 해답은 회복탄력성에 있다. 미국의 심리학자 에미 워너Emmy Werner는 하와이 군도 서북쪽 카우아이섬에서 놀라운 사실을 발견했다. 1955년부터 30년 넘게 이루어진 종단연구에서 관찰대상자 833명 중 애착 손상이 심각했던 201명의 고위험군 아이들을 관찰한 결과였다. 부모의 가난, 불화, 질병, 범죄 등으로 제대로 된 보살핌을 받지 못하고 자란 아이들 중 3분의 1이 넘는 72명이 건강한 성인으로 성장한 것이다. 그런데 한 가지 공통점은 조부모와 친척, 교사, 성직자, 친구 등 주변 사람들 중 한 사람 이상이 이들을 사랑하고 인정하고 지지해주었다는 사실이다.

이처럼 어떤 어려움과 역경이 닥쳐도 헤쳐나갈 수 있는 능력은 사랑의 힘에서 나온다. 깨지기 쉬운 유리 공이 아니라 고무공처럼 탄력 있게 튀어 오르는 아이들로 키우기 위해서는 자기조절능력과 대인관계 능력이 바탕이 되어야 한다. 그것을 가능하게 해주는 것이 바로 진심이 담긴 사랑과 지지이다.

좋은 습관은 건강한 삶에 큰 도움이 된다. 부부싸움을 하는 가장 큰 이유가 크고 작은 생활 습관 때문이라는 조사 결과가 있다. 정리정돈하는 습관, 씻는 습관, 운동하는 습관, 식습관 등이다. 그리고 반듯한 신앙심 또한 행복한 삶에 큰 도움을 준다. 개신교나 천주교, 불교, 어떤 종교라도 좋다. 인간의 힘으로 어찌할 수 없는 일들을 진정한 신앙의 힘으로 이겨내는 기적 같은 일들을 우리는 자주 본다. 장식품처럼 달고 다니며 다른 사람에게 보여주기 위한 신앙심이 아니라 진정으로 자신을 돌아보고 타인을 위해 봉사하는 참된 신앙심은 부모가 세상을 떠난 뒤에도 자녀들의 훌륭한 인생 길잡이가 될 것이다.

4

하고 싶은 일
잘할 수 있는 일

1997년 12월 31일, 대교의 대표이사 자리를 내려놓은 후 가장 많이 받은 질문은 두 가지였다.

"왜 그만두셨습니까?"

"뭘 하려고 하세요?"

20년이 지난 지금도 묻는 사람이 있다. 당시 400여 개 지점의 눈높이선생까지 합치면 1만 5,000여 명의 직원이 근무하던 작지 않은 회사였다. 높은 연봉에 비서와 기사를 두고 차량과 헬스 회원권까지 제공받는 자리를 스스로 그만두는 일은 흔치 않던 시절이었다. 20년 가까이 정말 열심히 그리고 즐겁게 일한 회사였지만 점점 나 자신이 소진되어가고 있다는 느낌이 들었다. 자회사인 대교출판의 대표이사로 일하다가 모회사인 대교의 전무로 발령받아 자리를 옮겼다. 회사

설립 후 처음으로 임원을 공채하여 업무를 인수인계한 다음, 내가 원하던 대교출판으로 복귀했다. '존경받는 출판인'이란 꿈이 있었다.

그러나 다음 해 다시 대교의 대표이사로 발령을 받고선 마음을 내려놓았다. 발령받은 곳에서 열심히 일해야지 사사로운 욕심과 희망사항을 내세우는 것은 임원으로서의 자세가 아니라고 생각했다. 지금 돌아보면 그 시절이 가장 왕성하게 일하면서 보람도 컸던 시기였다. 실적 또한 좋았다. 하지만 가끔 가슴속 한 구석이 헛헛해지는 느낌을 지울 수가 없었다. 회사를 위해서 임원 해고나 조직 정리 같은 악역도 맡아야 했고 목표 달성을 위해 무리도 해야 했다. 그러나 가장 가슴 아팠던 점은 나의 진심을 정반대로 해석하고 비난하며 조직을 망치는 사람들이 있었다는 것이다. 그들을 편안한 마음으로 대할 수 없었다. 성과와 인간관계, 이상과 현실을 조화롭게 꾸려나가면서 목표도 달성해야 하는 일이 항상 즐겁지만은 않았다.

내가 왜 그 자리를 스스로 내려놓았는가? 하도 인터뷰를 많이 하다 보니 이제는 세 가지로 정리해서 대답할 수 있다. 첫째, 내가 하고 싶은 일, 내 적성에 맞는 일을 찾고 싶었다. 둘째, 일과 가족을 함께 챙길 수 있는 일을 하고 싶었다. 셋째, 나이 들수록 연륜을 쌓으며 나의 전문성을 키울 수 있는 평생의 주제를 찾고 싶었다. 사직하고 2년 후 가정경영연구소를 설립했다. '가족문제 예방'이라는 내 일의 주제를 찾은 것이다. 평생 내가 할 수 있는 일인지, 일단 3년만 해보고 결정하자고 했는데 지금까지 즐겁게 하고 있으니 나는 복이 참 많은 사람이다.

자녀의 숨겨진 재능과 흥미 찾아내기

세상이 많이 달라져 요즘은 의사를 그만두고 빵집을 하는 사람도 있고, 아버지가 경영하는 큰 기업체를 물려받지 않고 자신이 좋아하는 음악을 하는 사람도 있다. 전문직을 버리고 부모님이 계시는 고향에 내려가 농사를 짓는 사람도 있고, 부모님이 몇십 년째 운영해온 전통시장 국숫집, 떡집을 가업으로 물려받는 사람도 있다.

이 세상에서 가장 행복한 사람은 어떤 사람일까? 자기가 좋아하는 일을 하면서 자유롭게 사는 사람이 아닐까? 과거에는 먹고 살기 위해서 하기 싫은 일도 억지로 하면서 생업을 이어나갔다. 자신의 적성과는 상관없이 공부 잘하면 무조건 법대와 의대, 상대를 고집했다. 요즘도 사교육 열풍에 일류대학과 대기업에 들어가는 걸 지상 목표로 스펙 쌓기에 올인들을 한다. 하지만 그런 가운데서도 진정한 행복을 위해 다른 사람들이 가지 않은 길을 용감하게 가는 사람도 많다.

정말 우리 아이들이 행복하게 살기를 원한다면 아이들이 하고 싶어 하는 일, 그리고 잘할 수 있는 일을 찾아주어야 한다. 하고는 싶지만 소질이 부족하다면 계속 즐겁게 일하기는 어렵다. 왠지 화려해 보이고 인기나 돈도 따를 것 같은 연예인이 요즘 청소년들의 선망의 대상이다. 하지만 화려함 뒤에 숨어 있는 고통과 경쟁, 쓴맛을 모르고 무작정 뛰어드는 일은 무모한 도박이다. 어릴 때부터 좋아하는 일, 하고 싶은 일이 분명한 아이들도 있지만 자신이 무엇을 하고 싶은지 잘 모르는 아이들도 많다. 가장 가까이서 오랫동안 성장 과정을 지켜본 부모가 애정 어린 눈으로 관찰하고 고민하면서 함께 그 일을 찾아주어야 한다.

미국의 심리학자 하워드 가드너Howard Gardner 교수의 다중지능이론이 주목받고 있다. 다중지능이론에서는 IQ 하나로 아이들의 지능을 평가하고 지나친 의미를 부여했던 과거와는 달리, 아이들이 가지고 있는 재능을 계발해주는 것이 성공의 지름길임을 강조한다. 다중지능으로는 언어지능, 논리수학지능, 공간지능, 신체운동지능, 음악지능, 인간친화지능, 자아성찰지능, 자연친화지능이 있다. 손흥민 선수나 류현진 선수는 신체운동지능, 성악가 조수미는 음악지능, '새박사'로 알려진 윤무부 교수는 자연친화지능, 그리고 성철 스님이나 마더 테

레사 수녀 같은 분은 자아성찰지능이 뛰어난 사람이다. 여덟 가지 지능 중 한 가지 지능이라도 내 자녀에게서 발견하고 그것을 일깨워주면 성공과 행복의 길이 쉽게 열릴 수 있다.

여덟 가지 다중지능 외에 '요리지능'을 하나 추가할 수도 있겠다는 생각이다. 요리를 취미로 하거나 요리사가 꿈인 남성들이 많은 요즈음, 그런 재능을 지지해주고 격려해준다면 또 다른 행복을 기약할 수 있을 것이다.

특별히 관심 있는 분야도 없고 자신이 하고 싶은 일이 뭔지 잘 모르는 아이들에겐 다양한 체험을 해보게 하는 것이 좋다. 어떤 것을 하고 싶다가도 수시로 생각이 바뀌는 게 아이들이다. 친구 따라 강남 간다고, 다른 아이들이 한다니까 덩달아 휩쓸리기도 한다. 그 모든 것이 과정이라 생각하고 믿고 참으며 기다려주는 부모의 인내가 그래서 필요하다.

선 취업, 후 진학

아이들은 대학 입시의 압박감 때문에 공부가 하기 싫을 때는 자퇴를 꿈꾸기도 하고 엉뚱한 방식으로 반항을 하기도 한다. "행복은 성적순이 아니잖아요. 난 장사해서 돈 많이 벌래요"라며 부모 속을 긁는다. 알아듣도록 타일러도 보고 설득도 해보지만 그래도 요지부동일 때는 굳이 대학을 강요하지 말고 유예기간을 갖는 것이 좋다. 고등학교 졸업 후 바로 대학에 입학해야만 하는 것은 아니기 때문이다. 특정 분야의 전문 인력을 양성하는 학교를 나와 일찍부터 자신이 하고 싶은 일을 하면서 적지 않은 수입을 올리는 경우도 있다.

요즘은 평생교육 시대로 먼저 취업해 사회생활을 하다가 나중에 대학에 가는 사람도 많다. 취업해서 사회 경험을 쌓다가 정말 공부가 하고 싶거나 대학에 갈 필요성을 느낄 때 자기가 번 돈으로 공부하면 오히려 참공부가 된다. 사이버대학이나 방송통신대학은 언제든 공부하고 싶을 때 지원해 양질의 대학 교육을 받을 수 있다.

유연근무제, 재택근무제, 근로시간단축법 덕분에 돈을 벌기 위한 현실적인 직업과 자신이 정말 하고 싶은 일 두 가지를 병행하면서 만족을 느끼고 사는 사람도 있다. 물론 하고 싶은 일을 열심히 하다 현실적인 직업에 소홀해질 수 있고 에너지를 소진당할 위험도 있다. 하지만 그점을 제대로 알고 시작한다면 언젠가는 자신이 좋아하는 일로 인생 2막을 아름답게 꽃피울 수 있다.

아이들은 돈 많이 벌고 인기 있는 직업 쪽으로 무작정 휩쓸리기 쉽다. 일류대를 나와서 대기업에 취직하거나 공무원이 되는 것이 꿈인 젊은이들도 많다. 하지만 자신의 성격이나 관심 분야, 재능과 적성, 사회적 인정, 보상 등 다각적으로 따져보고 어떤 일을 해야 행복한 삶을 살 수 있을지 깊이 고민 해봐야 한다. 이 시대의 흐름과 특성 그리고 미래의 전망까지 고려할 수 있도록 부모의 도움이 필요하다. 진정 자식의 행복 을 바라는 부모라면 '남들 보기에 번듯한 일'이 아니라 '생각 만 해도 가슴이 뛰는 일'을 찾게 해주어야 한다.

정말 하고 싶은 일만 찾아도 절반의 성공을 이룬 셈이다. 본인이 좋아하는 일을 10년쯤 꾸준히 하다 보면 밥은 굶지 않는 세상이 되었다. 그리고 돈과 세속적인 성공을 떠나 자기 만족을 최고의 가치로 여기는 사람들이 많아졌다. '무엇이 될 것인가'가 아니라 '진정 무엇을 하고 싶은가' 더 깊이 고민하 고, 생각만 해도 가슴 설레는 일을 찾을 수 있도록 아버지가 적극 도와주자.

5

무엇을 유산으로 남겨줄 것인가

부모님의 정직과 헌신적인 삶

일고여덟 살쯤이었을까, 잠에서 깨어나 아버지 수염을 만지작 거리며 구구단을 외던 때가 있었다. 가을 햇살이 까슬까슬하던 추석, 할아버지 산소에 성묘 갔다 돌아오던 길, 음복한 술로 얼큰해진 아버지가 버스 정류장에서 사주신 박하사탕이 아직도 혀에서 녹는다. 손재주가 좋으셨던 아버지는 새 학년이 되어 책을 받아 오면 달력으로 예쁘게 책 표지를 싸주셨고 손발톱도 깔끔하게 깎아주셨다. 목욕탕에 가면 때를 밀어주시던 아버지였다. 내가 중2였을까, 때를 미는 아버지가 무척 힘들어 보였을 때 이미 아버지의 병은 시작되었던 건지……. 아버지는 폐암 말기의 고통을 장롱 손잡이를 달그락달그락 만지며 삭이셨다. 송사에 휘말렸을 때는 변호사가 일러준 대로 한마디만 하면 이길 수 있는 재판인데도 거짓말을 못 해 큰 손해를 보신 아버지였다. 감정적인 화풀이로 자식을 혼내지 않고 회초리를 꺾어 오게 해서 잘못한 만큼 벌을 주셨던 아버지……

어머니도 극진하셨다. 오로지 자식을 위해 헌신하셨던 어머니는 오늘의 나를 있게 하신 분이다. 추운 겨울날 어린 아들을 재우기 위해 이불을 체온으로 덥혀 막내아들을 눕히시던 어머니. 초등학교 3, 4학년 때까지 어머니를 따라 시장에 갔던 기억이 선하다.

"학중아, 니 행님이나 누야한테 얘기하지 마라이."

모든 것이 풍족하지 않던 그 시절, 어머니는 그렇게 당부하시며 찐빵을 사주셨다. 다디단 팥물을 듬뿍 뿌려주던 '수복빵집'의 찐빵 맛을 못 잊어 고향에 들를 때면 지금도 수복빵집을 찾는다. 서울로 이사를 온 후, 사촌 형들과 누이들이 우리 집으로 유학을 와서 집은 늘 사람들로 북적거렸다. 대가족이 모여 앉아 반죽을 하고 속을 채워 만두와 찐빵을 만들면 모두들 게 눈 감추듯 먹어치웠던 기억은 한 폭의 따뜻한 그림이다.

자식이 곧 자신의 삶 그 자체였던 어머니가 몸소 보여주셨던 '헌신'은 돈으로 따질 수 없는 자산이 되었고, 아버지가 보여주셨던 정직하고 검소한 생활, 인내력과 감정조절 능력은 내게 둘도 없는 유산이 되었다.

아름다운 추억 남기기

1998년 1월 2일, 중3이었던 딸아이와 초등학교 6학년이었던 아들 녀석을 데리고 아내와 14박 15일간의 국토 횡단 여행을 떠났다. 서울에서 팔당, 양평, 횡성, 정선을 지나 백복령 고개를 넘어 동해까지 280킬로미터의 겨울 대행군은 지금 생각해보면 조금은 무모한 짓이었다. 아이들에겐 어떤 기억으로 남아 있는지 모르지만 살아가는 데 피가 되고 살이 되었으리라 믿는다. 횡단 초반에 내가 발을 접질려 아이들이 내 배낭 속의 짐을 수시로 덜어주었다. 출발할 때는 개다리춤을 추며 즐거워하던 아이들이 오후가 되면 아무 얘기도 안 하고 땅만 보며 걸었다. 그러다 여인숙에 짐을 풀고 된장찌개나 김치찌개로 맛있게 저녁을 먹고 나면 얼마나 행복하던지……. 날이 어두워져도 숙소가 보이지 않을 때는 민가를 찾아가 하룻밤 재워주기를 부탁한 적도 있다. 아들을 대동하고 최대한 불쌍한 표정을 지어 보이며……. 회계를 맡은 딸아이가 숙박비를 포함한 지출이 하루 10만 원을 넘기면 안 된다며 군기를 잡아, 막걸리와 쥐포를 포기했던 기억은 이제 즐거운 추억이 되었다.

우리 가족처럼 그렇게 유별난 여행은 아니더라도 하루나 반나절, 1박 2일 정도의 가족 여행, 부자 여행, 부녀 데이트 등 아이들과 온전히 하나가 되는 시간을 가져보기를 권한다.

세상을 떠날 때 자녀들에게 무엇을 유산으로 남겨줄지 생각해본 적이 있는가? 돈이나 땅, 재산을 물려주려고 애쓰지 말자. 재산이 많으면 많은 대로, 적으면 적은 대로 부모 재산을 놓고 추한 싸움을 벌이며 소송까지 벌이는 가족을 많이 보았다. 가족이 함께했던 즐거운 기억, 아름다운 추억을 유산으로 남겨줄 일이다. 부모님 생각만 해도 흐뭇한 미소가 번지고 아버지와 어머니를 그리워하는 자녀들로 키웠다면 자식농사에는 성공한 것이다.

가족 식사 자주 하기

가족이 모두 모여 즐겁게 가족 식사하는 횟수가 얼마나 되는지 묻고 싶다. 딸아이가 중2, 아들 녀석이 초등학교 5학년 때쯤이었을까? "아빠한테 바라는 거 뭐 없니?" 했더니 두 녀석이 동시에 "아빠와 밥 좀 같이 먹었으면 좋겠어요"라고 했다. 아파트 맞은편에서 보면 저 집은 남편도 없는 집이라고 할까봐 커튼을 치고 식사한 적도 있다고 아내가 거들었다. 그 대답에 충격을 받고 아이들과 약속했다. 적어도 일주일에 네 번은 함께 저녁식사를 하자고. 주말은 당연히 함께 식사하고 닷새 중에 사흘은 일로 늦더라도 이틀은 같이 밥을 먹자고. 그러고는 저녁 약속들을 조정해나갔다. 아주 급한 일이 아니면 다음 주로 미루고 여건이 허락하지 않으면 점심 약속으로 바꿨다. 그래도 도저히 시간이 여의치 않을 때는 조찬으로 때우기도 했다. 그래도 약속을 지키기 어려운 경우에는 아이들과 아내에게 양해를 구했다.

가족 식사의 횟수만 늘려도 자녀의 성적이 올라가고 교우 관계가 원만해지며 비행이 줄어든다는 연구 결과가 있다. 식사는 단순히 배를 채우는 것 이상의 의미를 지닌다. 인스턴트 식품이나 배달 음식이 아닌, 엄마 아빠가 정성들여 만든 음식으로 균형 잡힌 영양도 섭취하고 식사 예절도 배우는 좋은 기회가 된다. 가족 간의 대화로 세상을 바라보는 안목도 생기고 표현력도 늘고 어휘도 풍부해진다. 요리를 하고 식탁을 차리고 뒷정리를 하면서 유대감도 돈독해진다. 이런 원칙을 세워 보자. '아무리 바빠도 일요일 저녁만큼은 가족이 함께 식사한다', 형편에 따라 '일주일에 적어도 ○번은 가족이 함께 밥을 먹는다.' 가족 식사를 하기 위해서는 일단 시간을 내야 한다. 가족 식사에 우선순위를 두고 일정을 조절하지 않으면 불가능한 일이다. 불행한 가족은 밥을 같이 먹지 않는다. 식사를 하지 않았어도 먹었다고 하고, 자기 방에 들어가 혼자 인스턴트식품으로 대충 때운다.

가족과 함께하는 여가를 즐기자

부모와 자녀의 관심이 다르고 세대 차가 크긴 하지만 가족이 함께 여가를 즐기는 것도 행복한 자산이 된다. 자녀의 의견을 존중해주는 원칙하에 온 가족이 함께 즐길 수 있는 여가 활동을 계획해보자. 부모가 주도하여 일방적으로 결정하고 자녀들에게 통보하는 식의 여가는 오히려 갈등을 불러일으키고 관계만 나빠질 수 있다. 실제로 청소년들에게 선호하는 여가 활동에 대해 물어보면 부모와의 여가는 언급조차 하지 않는 경우가 많다. 아이들이 성장하면서 또래와의 시간을 우선하기 때문이다. 아이들의 요구나 관심사를 참고해 날짜나 행선지, 활동 계획을 자녀들이 결정하도록 하는 것도 좋은 방법이다.

여가의 의미나 교육적인 가치만을 지나치게 강조하는 것은 금물이다. 아이들이 재미있어하는 활동을 시작으로 부모와 함께하는 시간이 즐겁다는 인상을 심어주면 아이들이 부모와의 여가 활동에 더 적극적으로 참여한다. 실제 성인들의 여가 활동 유형을 보면 어렸을 때 가족과 함께했던 활동이 60퍼센트가 넘는다는 연구 결과가 있다. 가족 여가를 계속 즐기다 보면 가족 간의 유대감도 커지고 긍정적인 상호작용의 결과로 가족관계의 질도 높일 수 있다. 그 과정에서 부모의 가치관이나 도덕적 교훈도 전할 수 있다.

돈이나 집, 땅 같은 물질적인 유산으로 자녀들의 삶이 조금

넉넉해질 수는 있다. 하지만 그 재산을 제대로 관리할 능력이 없어 유산을 탕진한 뒤 스스로 살아갈 힘마저 잃어버린다면 그것은 유산이 아니라 불행의 씨앗이다. 자녀들에게 빚을 물려주거나 부모 대신 떠안아야 할 짐만 물려주지 않아도 부모로서의 일차적인 책임은 다한 것이다. 가족과 화목하게 살면서 즐거웠던 시간, 아름다운 추억까지를 자녀들에게 남겨준다면 그것이야말로 최고의 유산이다.

6

진정한 어른으로
떠나보내자

심리적·정서적 독립

고등학교 때 학생회장이었던 나는 유신 반대 데모를 하다 형사들에게 쫓겨 다녔다. 집에도 못 들어가고 담임선생님 집으로 피신을 했다. 아버지까지 폐암으로 돌아가신 후 공부도 안 돼 방황하던 나는 집에서 바라는 서울대학교에 갈 자신이 없었다. 대학 입시를 앞두고 고민하던 나는 자진 유급을 택했다. 하지만 우리 학교에는 유급 제도가 없다며 교장선생님까지 나서서 말리셨다. 한 해 더 다닌다고 성적이 오르는 것도 아니니 굳이 유급을 할 것 없이 최선을 다하라고 하셨지만 고집을 꺾지 않았다. 그리고 고등학교 2학년을 한 해 더 다녔다. 그러나 생각만큼 성적이 오르지 않자 한 번은 해인사로, 또 한 번은 화엄사로 출가 아닌 가출을 했다. 결국, 밥이나 축내는 중은 아무나 할 수 있지만 진정한 승려는 아무나 될 수 없음을 깨닫고 내 발로 하산을 하긴 했지만……. "그때 내 속이 새까맣게 탔다"고 어머니는 늘 말씀하셨다.

부모가 아무리 타이르고 설득해도 그 나이에는 귀에 들어오지 않는 세상 이치가 있다. 자식의 실패와 시행착오를 줄여주기 위해 부모는 사랑으로 충고하지만 자식은 부모의 진심 같은 건 모른 채 반발한다. 자녀의 삶을 부모가 대신 살아줄 수는 없다. 자녀가 잘못 선택한 것의 대가를 대신 지불해줘서도 안 된다. 수업료가 아무리 비싸도 직접 대가를 치러야 자녀는 인생의 소중한 교훈을 얻는다.

자녀의 심리적·정서적인 독립을 위해서는 자녀가 스스로 어릴 때부터 결정하고 선택한 다음 책임지는 연습을 시켜야 한다. 책임감이란 말로 가르칠 수 있는 게 아니다. 본인이 직접 경험하고 실패에 대한 대가를 지불해봐야만 배울 수 있다. 아이가 늦잠을 자며 몇 번을 깨워도 짜증만 내면 기어이 깨워서 제시간에 등교시킬 필요가 없다. 숙제도 마찬가지이다. 숙제부터 해놓고 놀라고 해도 다 알아서 한다며 대든다면 아이와 싸워가며 숙제를 하게 하거나 대신 해줄 필요가 없다. 부모가 따라다니며 챙겨야 겨우겨우 등교하고 부모의 성화로 간신히 졸업한 아이들은 고마움은 모른 채 오히려 부모를 원망한다.

비 올 때를 대비해 우산 챙겨주고 일기 예보를 확인한 다음 옷을 입혀 보내는 일을 언제까지 해줄 것인가? 자기 애 학점이 잘 안 나왔다고 담당 교수에게 찾아가 항의하고 취업을 위한 자기소개서를 대신 써주는 짓은 자녀를 망치는 길이다. 이런 '헬리콥터 부모'가 자녀들을 '캥거루족'이나 '기생 독신'으로 만든다. 전공 선택이나 이성 교제, 휴학과 입대 등 중요한 선택과 결정을 자녀 스스로 할 수 있도록 일찍부터 기회를 주고 지켜보아야 한다. 어릴 때부터 자기가 한 일에 대한 책임을 스스로 지는 연습을 시켜야 한다. 그렇지 않으면 성인이 되어 더 큰 불행을 맞는다.

나이 40이 되고 50이 넘어도 애 같은 남편 때문에 속을 끓이는 아내가 많다. 반대로 외모를 꾸미고 사치하느라 돈을 펑펑 쓰면서도 엄마 노릇, 아내 역할엔 관심도 없는 여자를 만나 죽을 맛이라는 남편도 있다. 과연 진정한 어른이란 어떤 사람일까? 고등학교만 졸업해도 신체적, 지적으로는 성숙한 성인이어서 기본 상식을 가지고 살아가는 데 지장이 없다. 만 20세만 넘으면 법적으로도 성인 대접을 받는다. 하지만 진정한 어른이 되려면 도덕적으로 성숙하고 심리적·정서적으로도 부모에게서 독립해야 한다.

'분화'란 생각과 감정을 구분하고 부모와의 관계에서 자신을 분리시키는 능력이다. 그런데 부모로부터 건강하게 분화하지 못한 자녀들은 심리적인 안정을 찾지 못하고 대인관계와 감정조절에 미숙해 어려움을 겪는다. 그리고 결혼하면 자녀들에게 모델링이 돼 또다시 분화하지 못하는 미숙한 자녀들을 만든다. 자녀가 유아기의 미분화된 상태를 떠나 건강하게 분화할 수 있도록 부모로부터 독립하는 연습을 일찍 시켜야 한다.

자녀의 발달단계에 따른 아버지 역할

자녀들의 나이에 따라 아버지 역할에 적절한 변화를 주어야 한다. 아기가 갓 태어났을 때는 24시간 전적으로 부모에게 의존하는 시기여서 먹이고 재우고 씻기는 신체적인 보살핌이 무엇보다 중요하다. 그때는 아빠가 도와준다고 해도 엄마의 역할이 절대적이다. 그 시기의 아내들은 낮이나 밤이나 잠도 제대로 못 잔다. 인생 최대의 사건인 출산을 겪으며 산후우울증에 시달리기도 한다. 이때 숨을 쉴 수 있는 탈출구가 되어주어야 할 사람이 바로 남편이다. 갓 태어난 아기는 상상했던 것만큼 예쁘고 사랑스런 모습이 아닐 수 있다. 징그럽고 괴상한 모습에 놀라기도 하고, 너무 작고 새털처럼 가벼워 어떻게 해야 좋을지 몰라 당황하기도 한다. 부부 두 사람만의 관계에서 이제 삼각관계에 적응해야 하는 시기이다. 아이를 직접 돌보는 데는 한계가 있겠지만 적어도 내 일만큼은 내가 챙기며 아내의 짐을 덜어주어야 한다. 아내가 온전히 아기에게만 매달리고 몰입하더라도 서운한 마음쯤은 혼자서 소화할 줄도 알아야 한다.

만 두 살까지의 영아기 때 가장 중요한 것은 기본적인 신뢰감을 형성하는 일이다. 부모와의 안정된 애착을 통해 세상에 대한 믿음을 이루어나가는 시기이다. 기본적인 생리적 욕구를 충족시켜주고 신체적·심리적 안정을 통해 자율성을 키워주어야 한다. 하고자 하는 것은 스스로 할 수 있도록 격려하는 태도도 필요하다.

만 두 살에서 6세까지의 유아기는 아이가 왕성한 호기심과 상상력으로 극성스러울 만큼 쉬지 않고 돌아다니며 말썽을 부리는 때이다. 대근육이 발달하고 신체 운동기능이 어느 때보다 활발하며, 언어능력도 급격하게 발달해 끊임없이 질문하고 자기주장을 강하게 펼친다. '예쁜 세 살부터 미운 일곱 살'의 시기인데 예쁜 세 살은 잠시뿐이고 부모가 잠깐이라도 한눈을 팔면 어떤 사고가 벌어질지 모른다. 안정적인 애착 관계를 바탕으로 마음 놓고 말썽부리기 때문에 부모의 적절한 권위가 어느 때보다 중요하다. 그래서 부모에게는 이 시기를 '권위형성기'라고 한다. 아이가 해도 괜찮은 일, 해서는 안 되는 일, 절대 용납 못 할 일을 엄격히 구분해주어야 한다. 자기주장이 고

집으로 발전하거나 공격적인 행동이 나타나기도 해서 통제와 제재, 훈육이 필요하다. 또한 엄마 아빠의 권위를 서로가 세워주어야 한다. 잘못된 행동은 벌을 받을 수 있음을 가르쳐야 하며, 그런 과정을 통해 양심과 도덕의 발달을 꾀할 수 있다.

유아기에서 학동기로 넘어가는 시기에는 아이들이 '발달적 열등감'을 맛보기도 한다. 이때의 열등감은 병리적인 것이 아니라 발달에 원동력이 되기도 하기 때문에 '발달적 열등감'이라고 한다. 어른에 비해 작고 힘도 약하며 여러 가지로 유능하지 못한 자기 자신을 객관적으로 통찰하는 능력이 이때 생긴다. 어른들이 묻지도 않았는데 "이거 나도 할 수 있어"라고 뻐기는 행동 등이 바로 발달적 열등감을 극복하려는 유아들의 노력이다. 그때 아빠가 "그럼, 너도 할 수 있지. 이담에 크면 더 잘할 수 있을 거야"라고 격려해주면 지혜롭게 그 시기를 극복하고 건강하게 성장할 수 있다.

초등학교에 입학하면 학교생활에 적응하는 것이 무엇보다 중요하다. 선생님과 또래 친구들, 학교 규칙, 그리고 공동생활에 대한 적응이 모두 포함된다. 동시에 적당한 수준의 학업을 성취해야 한다. 그러기 위해서는 아빠가 세심한 관찰과 대화로 발달단계를 점검해야 하는데 아내와의 협동작전이 중요하다. 교사와 유기적 협조 체제를 이루면서 지나친 과보호가 되지 않도록 적절한 균형을 유지해야 한다. 특히 친구들과의 관계 속에서 사회성을 발달시킬 수 있도록 지원하는 노력이 필요하다. 또 안전에 최대한 유의하면서 좋은 생활습관이 몸에 밸 수 있게 해주어야 한다.

중고등학교 시기인 청소년기는 '상호의존기'라고 볼 수 있는데, 부모의 지혜로운 태도가 그 어느 때보다 필요하다. 청소년기의 발달적 특징을 이해하고 받아들이는 너그러움이 요구된다. 자녀를 계속 어린애 취급하면서 전처럼 통제하고 지배하려고 하면 심각한 문제가 생긴다. 자아정체감과 자기존중감이 가장 중요한 시기로 대단히 민감하고 불안정한 상태이다. 덩치는 산만 하지만 정신적으로는 여전히 미숙한 어린애이기 때문에 육체적인 성장과 정신적 성장의 부조화 속에서 혼란을 겪으며 힘들어한다. 맹목적인 행동을 하기도 하고, 일방적으로 부모를 무시하거나 시험해보기도 하며, 버릇없고 불량한 태도로 부모의 분노를 부르기도 한다. 합리성과 논리성을 내세우면서도 때로는 감정에 휩싸여 전혀 비상식적인 행동을 하기도 하고 부모를 평가하기도 한다. 그러나 이성과 감성이 잘 조화된 격조 높은 권위로써 자녀를 발달해가는 하나의 인격체로 존중해주자. 그리고 대화의 끈을 놓지 않으면서도 자녀와 적당한 거리를 유지하는 것이 중요하다. 진지하고 의연한 자세로 일상에 충실한 부모의 모습을 보여주어야 할 시기가 바로 청소년기이다.

진정한 의미의 경제적 독립

"여보, 그렇다고 꼭 내보내야겠어요?"

나와 철석같이 약속을 한 아내가 정색을 했다. 딸아이가 대학생일 때부터 아내에게 말했다. 딸아이가 만 서른이 되도록 결혼을 안 하면 집에서 내보내자고. 처음엔 반대했지만 내 설명을 들은 후엔 기꺼이 동의했던 아내가 막상 그 시기가 닥치자 펄쩍 뛰었다.

"아니, 여자애를 서른이 됐다고 집에서 내보내자니 아직 결혼도 안 했는데 그게 말이 돼요?"

그래서 내가 되물었다. 나이 50이 되도록 결혼 안 해도 데리고 살 거냐고. 나가서 독립적으로 사는 데도 적절한 시기가 있고 그 시기를 만 30세로 본다는 요지로 아내를 설득했다. 결국은 아내도 동의를 했다.

아이들을 내보내는 것이 내 목적은 아니었다. 독립심을 길러주려는 의도였다. 처음 얘기를 꺼냈을 때 아내도 동의했고, 아이들 역시 먼 미래의 일이겠거니 하고 별말이 없었다. 딸아이는 만 서른이 되어도 배우자를 정하지 못했다. 1년을 연장해주었지만 남편감을 찾지 못해 기한을 정해서 독립하라고 했다. 그랬더니 딸아이가 눈물을 뚝뚝 흘리는 게 아닌가? 독립해서 나갈 집을 알아봤는데 현실이 녹록지 않았던 것이다. 어쩔 수 없이 1년을 다시 연장해주었는데 그 사이에 지금의 사위를 만나 결혼했다. '만 30세에 방 빼기 작전'은 그렇게 막을 내렸다. 결혼 비용 역시 본인이 모아놓은 돈의 두 배만 보태주어 아담한 성당에서 작은 결혼식을 올렸다. 가족과 딸아이 친구들만 초청해서 내 친구들과 지인들에게 원성을 많이 샀지만.

결혼을 앞둔 자녀들을 경제적으로 독립시키는 일은 무엇보다 중요하다. 경제적으로 독립하지 못하면 진정한 성인이라고 볼 수 없으며 부모의 노후를 발목 잡을 수도 있기 때문이다. 자녀들을 경제적으로 독립시키는 적기가 언제라고 생각하는지 강의 때마다 질문하곤 하는데 대답들이 제각각이다. 대학 졸업할 때, 취업하여 월급을 받을 때, 결혼할 때……. 그러나 그 시기는 경제 사정과 부모의 가치관, 자녀의 태도에 따라 부모가 협의하여 결정할 일이다. 경제적인 어려움 때문에 애들이 고등학교만 졸업하면 알아서 자기 앞가림하라고 해야지, 생각하는 부모도 있다. 그러나 그렇게 마음먹어도 당장 그때가 닥치면 실행하기가 쉽지 않다. 취업난, 주택난, 만혼, 양육 부담 등으로 자녀의 경제적 독립은커녕 자녀와 노부모를 함께 부양해야 하는 이중 부양, 거기에다 손주들까지 돌봐야 하는 삼중 부담의 늪에 빠질 수도 있다.

그러기에 언제까지 경제적인 도움을 줄 것인지, 언제 분가해 독립하도록 할 것인지, 서로 합의해서 기한을 정할 필요가 있다. 또한 집안 형편을 고려해 경제적인 지원의 상한선도 분명히 정하는 것이 좋다. 결혼이 계속 늦어지면 생활비의 일부를 부담시키거나 집안일을 거들도록 하는 것도 나쁘지 않다. 단, 그럴 수밖에 없는 상황을 자녀가 잘 알아듣고 이해하도록 설명하는 과정이 반드시 필요하다. 부모의 안타까운 마음과 더 잘해주지 못하는 미안함까지 전할 수 있다면 더욱 좋다. 경제적인 지원도 안 해주면서 자녀들의 계획이나 진로에 대해 이래라저래라 지적하고 무시하면 반발을 부른다.

작년에 아들까지 결혼을 시켰다. 서운하지 않느냐고 묻는 아들에게 "이제 부모로서의 과업을 완수해서 기쁘다. 신혼 같아서 좋다"고 했더니 아들은 조금 서운한 모양이다. 하지만 떠나보내야 할 때 떠나보내는 게 부모가 할 일이며, 떠나야 할 때 진짜 어른이 되는 마음으로 부모 곁을 떠나는 게 자식의 도리이다.

결혼 후에도 완전히 독립하지 못하고 계속 부모에게 의존하고 손 벌리는 자녀가 있다. 반대로 자식이 결혼한 후에도 마음으로 떠나보내지 못하는 부모도 많다. 떠나보내지 못하는 게 아니라 여전히 돈의 힘으로 자식들을 조종하거나 경쟁시키며 자기 영향력 안에 두는 것을 즐기는 부모도 있다. 그것은 건강한 부모 자식 관계가 아니다. 한 가정을 이루었으니 어엿한 성인으로 대접해주며 자녀들의 삶을 존중해주어야 한다. 결혼 여부와 배우자 선택부터 아이를 낳을 것인지, 몇 명을 낳아 어떻게 키울 것인지, 아이 이름은 무엇으로 지을 것인지 등등 자녀가 최종 선택권을 갖도록 부모가 한발 물러서야 한다.

아들을 보내고 나니 자식의 결혼 전과 후, 아버지 역할에도 변화가 있어야겠다는 생각이 들었다. 무엇보다 이제 내 아들이 아니라 며느리의 남편이라고 생각하려 한다. 아들과 사위를 만나 술 한잔하다가도 남의 남편들 늦게 들여보내는 것 같아 술자리를 일찍 끝낸다. 그리고 셋의 만남을 '좋은 남편이 되려고 노력하는 사람들의 모임'으로 명명하고 내가 회장을 자임했다. 젊은 남편들 격려하고 응원하는 회장!

내 아들이 사돈의 사위라는 사실도 잊지 않으려 한다. 이제 사위로서의 역할에도 충실할 수 있도록 양보해야겠다는 생각이다. 장인 장모에게 잘하면 좋은 일이지, "키워놓았더니 다 소용없더라"며 서운해할 일이 아니다. 주례사를 할 때 "지금부터는 내 아들 내 딸이 아니라 남이라고 생각하라"는 얘기를 자주 한다. 적어도 생각만큼은 그렇게 해야 지나친 간섭이나 잔소리를 안 하게 된다는 의미에서 하는 말이다. 요즈음 그 주례사를 나에게도 적용하고 있다. 아들에게 쏟는 관심을 좀 줄이고 아내와 더 즐겁게 사는 데 시간과 에너지를 쏟으려고 마음을 쓴다. 곧 아이까지 낳으면 제 자식 돌보느라 더 바빠질 아들을 이제 놓아주어야지 하는 마음이다.

그리고 며느리에 대한 배려와 사랑도 조심해야 한다. 주위를 돌아보면 시아버지가 며느리 사랑을 자제하지 못해 부부 사이나 고부관계가 미묘해지는 경우가 있다. 며느리와 시아버지도 일종의 이성 관계로 지혜롭게 대처하지 못하면 가족 간의 감정 문제로 번져 사태가 심각해질 수도 있다.

부모가 자녀에게 짐이 되지 않고 자녀 또한 부모에게 짐이 되지 않는 '홀로서기'를 미리 연습하자. 그런 홀로서기를 바탕으로 자주 연락하고 왕래하며 서로 주고받는 관계를 만드는 게 훌륭한 자식농사의 끝이 아닐까?

1 대 1 데이트

자녀와 단둘이 하는 데이트를 권하고 싶다. 내 자식 내가 가장 잘 알 것 같지만 모르는 부분도 의외로 많다. 온전히 두 사람만의 시간을 가지며 깊은 교감을 나눠보면 전혀 몰랐던 면을 발견하게 되고 그래서 더 특별한 추억이 된다. 하지만 이전의 관계가 어떠했는지에 따라 전혀 다른 상황이 될 수도 있으니 지나친 기대나 성급한 밀어붙이기는 삼가자. 자녀가 원치 않는 데이트를 강요하지 말고 조심스럽게 제안해보는 거다. '좀 더 가까이 다가가고 싶고 친해지고 싶고 너를 더 많이 알고 싶다'는 속마음을 전달하면 거부감이 줄어든다. 자녀가 원하는 날짜와 장소, 아빠와의 데이트에서 자녀가 원하는 것에 초점을 맞추어, 아빠와 함께한 시간이 최소한 나쁘지는 않았다는 기억만 줄 수 있어도 성공이다. 그 시간이 좋았다며 아빠하고 다시 데이트하고 싶다고 하면 대성공이고. 단, 데이트를 하는 동안 훈계나 설교조의 얘기, 충고나 지적은 삼가자. 온전히 자녀의 얘기를 듣고 공감해주면서 다음 데이트를 기대해보자.

집에서의 캠프

가족과 캠핑을 즐기는 아빠들이 늘었다. 그러나 그런 여건이 안 될 때는 거실에 텐트를 치고 즐기는 캠핑도 하나의 대안이다. 물론 아이들이 어느 정도 성장하면 그런 캠핑은 달가워하지 않겠지만 어린 자녀들은 아빠와 하는 신기한 체험만으로도

흥분할 것이다. 아내의 협조와 지지를 얻어 아이들과의 추억을
한 가지 늘려보자.

학교로 편지를

요즘은 손편지를 주고받을 일이 별로 없다. 친구 사이건 부모
자식 사이건 모두 휴대전화 문자 메시지로 할 말을 주고받는다.
그런데 아빠가 손으로 쓴 편지를 아이들이 학교에서 받는다면
기분이 어떨까? 생일이나 어린이날이어도 좋고 특별한 날이 아
닌 때라도 상관없다. 따뜻한 격려와 칭찬, 아빠가 얼마나 사랑하
고 고마워하고 자랑스러워하는지를 담은 말로 손편지나 카드를
써서 학교로 보내보자. 자녀에게 잊을 수 없는 감동이 된다.

이달의 이벤트

외식이나 영화 보기, 놀이동산 가기, 가족 여행도 부모가 일방
적으로 결정한 뒤 자녀에게 통보하면 자녀 입장에서는 반갑지
않을 수 있다. 한 달에 한 번씩 가족과 함께하는 시간을 갖기로
합의하고 그날의 이벤트에 대한 전권을 아이들에게 맡겨보면
어떨까? 어느 정도 성장하면 충분히 할 수 있는 일이다. 자녀가
어릴 때는 부모가 조수를 자처하여 필요한 도움을 줄 수도 있
다. 가정 형편에 따라 1인당 1~3만 원 정도의 예산만 지원해
주고 그 범위 내에서 기획, 진행, 결산까지 맡기면 특별하고 훌
륭한 체험과 공부가 될 것이다.

상장 수여

아빠 엄마가 수여하는 특별한 상장을 만들어 동기부여를 해보자. 깨우지 않아도 스스로 잘 일어나서, 방을 깔끔하게 정리정돈해서, 강아지를 잘 돌봐주는 따뜻한 마음을 가지고 있기에, 할머니 할아버지께 살갑게 대하고 기쁘게 해드려서, 싸우지 않고 형제가 사이좋게 지내서 등등 수상 이유는 얼마든지 만들 수 있다. 그러나 꼭 무엇을 잘해서 주는 대가성 상장이 되어서는 안 된다. 결과가 다소 미흡하더라도 과정에 최선을 다하는 태도를 높게 평가해주어야 한다. 적절한 부상까지 곁들인다면 더 큰 효과를 볼 수 있다.

우리 집 과외 선생님

아이들이 어느 정도 크면 부모보다 훨씬 더 잘하는 일들이 많아진다. 컴퓨터를 다루고 휴대전화를 만지는 일, 인터넷으로 예약을 하고 검색하는 일 등을 자녀에게 가르쳐달라고 부탁해보자. 부모를 돕는 건 당연한 일인데 친절하게 참을성을 가지고 가르쳐주는 자녀가 많지 않다. 부모가 자꾸 잊어버리고 물어봤던 것을 또 물어보면 짜증부터 낸다. 그러나 과외수업을 받듯이 교육비를 지불하면 분위기가 달라진다. 적절한 보상으로 부모 자식 관계를 돈독히 하고 소통하는 계기를 만들 수 있다면 일석이조의 기회가 된다. 단, 부모 자식 간에 모든 것을 돈으로 계산하는 것이 습관으로 굳어지지 않도록 해야 한다.

사랑의 쿠폰

집안일을 무작정 시키는 대신 쿠폰을 발행해보자. 설거지 쿠폰, 음식 쓰레기 버리기 쿠폰, 10분간 안마해주기 쿠폰, 화장실 청소 쿠폰, 강아지 목욕시키기 쿠폰 등을 만들어 해당 일을 할 때마다 쿠폰을 적립, 원할 때 쿠폰의 양만큼 정해진 상품이나 상금을 지급하는 것이다. 자녀들이 당연히 해야 할 집안일도 있겠지만, 하기가 쉽지 않은 일일 경우 이처럼 재치 있는 쿠폰 발행으로 분위기를 부드럽게 만들 수 있다. 만일 부모가 약속을 지키지 않았을 경우 자녀들에게 다음과 같은 쿠폰을 주는 방법도 있다. 게임 50분 더 하기 쿠폰, 친구 집에서 하룻밤 자고 오기 쿠폰, 귀가 시간 두 시간 연장 쿠폰, 피자 한 판 시켜 먹기 쿠폰.

칭찬 회의

일상에서 그때그때 자연스럽게 칭찬을 해주는 것도 좋지만 온 가족이 모여 칭찬 회의를 해보자. 가족 중 한 명을 지목해 돌아가면서 칭찬하는 것이다. 긍정적인 시각으로 보면 모든 것이 칭찬거리임을 깨닫는 기회가 된다. 종이를 한 장씩 나눠주고 그날 지목된 가족에 대해 칭찬을 있는 대로 쓰게 하되, 많이 쓰면 쓸수록 더 좋다는 원칙을 세운다. 종이에 작성한 대로 돌아가며 칭찬을 하고, 칭찬받은 사람은 "감사합니다"라고 인사한다. 다음 칭찬 회의 때까지는 가족 중의 또 다른 사람을 대상으로 칭찬거리를 찾는다.

4장

가정에서의 대화

대화가 안 되는
근본적 이유

대화를 가로막는 걸림돌

"도대체 대화가 안 돼요."

"대화하다가 매번 싸우니까 이제 아예 얘기를 안 하죠."

"얘기는 많이 하는데 말이 통해야지요."

"요즘 것들은 싸가지가 없어요. 고개 빳빳이 처들고, 한마디도 안 진다니까요."

교통이 발달하고 인터넷과 휴대전화, SNS 등 소통 수단은 다양해지는데 왜 이렇게 대화가 안 될까? 가족이 모인다고 항상 즐거운 것도 아니다. 생일이나 명절 때 사소한 말 한마디로 관계가 나빠지는 경우도 많다. 아내나 아이들과 대화가 안 되는 이유, 소통의 걸림돌은 무엇일까?

과묵이나 침묵을 미덕으로 알고 개인적인 감정을 드러내는 것을 금기시했던 우리 문화가 그 이유 중의 하나이다. 또 여성에게는 순종을, 자녀에게는 복종을 강요했던 오래된 관습에서 벗어나지 못해 가족이 자신의 생각이나 의견을 표현하는 걸 반항이나 불손으로 여기는 경우도 있다. 도시화, 핵가족화가 정점에 달하면서 친척들은 고사하고 가족과의 만남도 쉽지 않아졌다. 과다한 업무나 바쁜 일들, 맞벌이, 학원이나 입시 공부 등으로 한 지붕 밑에서 생활하는 가족들조차 얼굴 보기가 어려워진 것이다. 그런데도 TV 보고 게임하고 인터넷할 시간은 있다는 것이 아이러니이다. 같이 있어도 피곤하니 대화할 기분이 나질 않고 짜증과 신경질만 오간다. 어린 자녀가 있거나 간병해야 할 부모님을 모시고 사는 경우 더욱더 대화하기가 어렵다.

가치관이나 세대 차이 또한 대화를 가로막는 걸림돌이다. 같은 20년, 30년 차이라도 우리나라는 유독 세대 차이가 극심해서 좀처럼 접점을 찾기가 어렵다. 게다가 부정적인 감정이 쌓였다가 폭발하면 수습하기가 어렵다. 그때그때 자신의 감정을 완곡하게 표현하지 못하고 대화가 안 되는 탓을 상대방에게 돌리는 태도도 소통을 어렵게 한다. 나에게 문제가 있다는 생각은 조금도 하지 못하고 대화가 안 되는 탓을 아내나 아이들에게만 돌리면 그것이 또 하나의 대화 장벽이 된다.

부정적인 자아상도 문제이다.

'내가 돈을 많이 못 벌어다준다고 집사람과 아이들이 나를 무시하나?'

이런 식으로 비약하면 선한 의도도 완전히 반대로 해석하게 된다.

'우리 집이 못산다고 이러는 거야?'

'내가 자기보다 많이 못 배웠다고 이런 식으로 대접해?'

이렇게 사사건건 색안경을 끼고 보면 대화가 될 리 없다.

인지적인 오류도 조심해야 한다. 살아가면서 일어나는 여러 가지 일들의 의미를 부정적으로 받아들이면서 우리는 다양한 유형의 논리적 오류를 범한다. 인지적 오류에는 흑백논리적 사고, 과잉일반화, 의미 확대와 의미 축소, 잘못된 명명, 독심술의 오류, 예언자의 오류 등이 있다.

아내의 반응을 칭찬 아니면 비난으로 해석하여 그 중간지대를 생각하지 못하는 것이 흑백 논리의 대표적 예이다.

과잉일반화란 한두 번의 사건에 근거해 일반적인 결론을 내리고 관련이 없는 상황에도 무리하게 적용하는 오류이다. 아내나 아이들이 한두 번 실수한 걸 가지고 매번, 매일 그런다고 하거나, 한두 번 약속을 어겼을 뿐인데 한 번도 약속을 지킨 적이 없다고 몰아붙이는 식이다.

의미 확대와 의미 축소는 어떤 사건의 의미나 중요성을 실제보다 지나치게 확대하거나 축소하는 오류를 말한다. 예를 들면 아내가 진심으로 한 칭찬은 별 뜻 없이, 듣기 좋으라고 한 말로 의미를 축소하는 반면, 아내가 자신에게 한 비판은 평소 아내의 속마음을 드러낸 것이라며 두고두고 그 의미를 확대해서 원망하고 비난하는 경우이다.

잘못된 명명은 사람의 특성이나 행위를 기술할 때 과장되거나 부적절한 명칭을 사용하는 오류이다. 예를 들어 자녀의 사소한 실수를 과장해 '세상에 아무짝에도 쓸모없는 쓰레기 같은 놈'이라고 나무라거나, 부부 모임에서 아내와 친구가 웃으면서 인사를 나누었다고 '헤픈 여자'로 매도하는 경우이다.

이 밖에도 충분한 근거 없이 다른 사람의 마음을 제멋대로 추측하고 단정하는 독심술 오류, 마치 미래에 일어날 일을 예언하듯이 단정하고 확신하는 예언자의 오류도 가족의 대화나 소통을 가로막는다.

지나친 방어기제도 대화의 장애물이다. 방어기제란 내면적인 갈등으로 인한 불안을 감소시키기 위해서 사용하는 심리 작용이나 원리를 말한다. 투사, 반동형성, 대치, 부인 등이 그 예이다.

투사는 용납할 수 없는 자신의 감정이나 욕구를 다른 사람의 것으로 돌리는 행위이다. 시어머니에게 적개심을 가진 며느리가 자신의 적개심을 시어머니에게 돌려 시어머니가 자신을 미워한다고 생각하는 식이다. 그런 경우 남편에게 계속 시어머니 얘기를 하면서 고통을 호소하면 심각한 오해와 불신이 싹튼다.

반동형성은 받아들이기 어려운 심리 상태와 반대되는 행동을 함으로써 분란을 회피하는 것이다. 남편에 대해 증오심을 가지고 있으면서도 헌신적으로 남편을 돌본다면 남편은 아내의 진심을 알 수가 없다.

대치는 해소하지 못한 자신의 감정이나 욕구를 원래 대상에게 표출하지 않고 안전한 사람에게 돌려 대리 충족하는 것을 말한다. '종로에서 뺨 맞고 한강에서 화풀이한다'는 말이 있듯이, 직장 상사에게 시달림을 받는 사람이 아내나 아이들에게 짜증과 신경질을 내는 경우이다.

부인은 자신의 생각이나 감정을 인식하지 못하거나 심하게 왜곡함으로써 고통스러운 현실을 부정하는 것이다. 어머니의 갑작스러운 죽음을 인정하지 않고 계속 부정만 하는 것이 대표적인 예이다.

비현실적인 기대도 대화를 가로막는 장애물이다.

"20년 넘게 같이 산 아낸데 내가 꼭 얘기를 해야만 알아듣나?"

"가정주부라면 밥하고 청소하고 빨래하는 건 당연히 해야 할 일 아냐?"

이런 식으로 맞벌이하는 아내를 다그치면 싸움이 된다. 시

부모님께 매일 안부 전화를 드리라고 강요하거나, 반찬을 사 먹고 음식을 배달시키는 것은 있을 수 없다며 집밥만 고집하면 요즘 아내들은 받아들이기 어렵다.

대화 기술의 부족도 큰 문제이다. 우리는 상대방 말을 귀담 아듣고 자신의 생각과 감정을 효과적으로 표현하는 공부를 제대로 해본 적이 없다. 서로 다른 생각을 조율하면서 합의점을 찾아내는 데도 서툴다. 내가 이런 말을 하면 아내나 아이 들의 기분은 어떨지를 헤아리지 못하고 하고 싶은 얘기를 그냥 뱉어버린다. 상대방의 의도나 생각을 확인하지도 않고 자 기 나름대로 추측하거나 단정 짓고는 서운해하고 괘씸해하면 서 오해나 불신을 키운다. 서운한데도 전혀 서운하지 않다고 얼버무리면 상대방은 내 마음을 알 수가 없다. 그러면서도 두고 보자는 식으로 벼르다가 어느 날 갑자기 폭발해버리면 오해와 불신의 골은 더욱 깊어진다.

더 큰 불행을 막기 위한 해법

대화가 안 되는 이유를 장황하게 늘어놓은 것은 그런 걸림돌 부터 제거해야 소통이 된다는 얘기를 하고 싶어서이다. 대화 와 소통이 그렇게 어려움에도 불구하고 가족은 끊임없이 대 화하고 소통해야 한다. 그렇지 않으면 부부관계에 금이 가고 가족이 해체될 수도 있다. 대화 좀 안 한다고 금세 문제가 터지는 것은 아니다. 하지만 당장 급하지 않다고 대화를 미루다 보면 작은 문제가 큰 문제로 번져 손을 쓸 수가 없게 된다.

학교 잘 다니며 아무 문제 없다고 생각한 아들이 친구들로부터 왕따를 당하고 폭행에 시달리다 자살을 하거나, 어느 날 갑자기 아내가 이렇게는 도저히 살 수가 없다며 이혼소송을 제기하는 일은 대화의 부재가 불러오는 불행한 결과이다. 무엇이 문제인지 미리 파악할 수 있고 더 큰 불행을 예방하기 위한 합리적인 방법이 대화이다. 대화는 해도 되고 안 해도 되는 것이 아니라 행복한 가정을 만들기 위한 필수 조건이다. 부부의 의사소통 패턴은 자녀들에게 그대로 전수된다. 부모의 말투, 억양, 자주 쓰는 단어, 사투리까지. 그렇기 때문에 자녀의 건강한 성장을 위해서도 부부의 원만한 의사소통은 절대적으로 필요하다. 서로 격려하고 위로하면서 하루의 피로를 풀고 칭찬과 인정, 지지를 통해 방전된 에너지를 다시 탱탱하게 충전시키는 것도 대화이다. 내가 안전한 곳에 소속되어 있다는 심리적인 안정감과 유대감, 친밀감 또한 따뜻한 말 한마디와 즐거운 대화에서 얻을 수 있다.

친밀감 회복과 대화 준비

대화 시간은 일부러 만들어야 한다. 대화는 다른 사람이 대신해줄 수 없다. 돈으로 살 수도 없다. 얼굴 맞대고 얘기하는 것만이 대화는 아니다. 따로 떨어져 사는 기러기 가족도 문자메시지나 인터넷, 영상통화 등으로 얼마든지 대화를 나눌 수있다. 늘 듣기 좋은 말만 하고 살 수는 없다. 그때그때 나의기분과 생각을 표현하고 풀어야 한꺼번에 폭발하는 걸 방지할 수 있다.

그러기 위해서는 평소 가족 간의 친밀감을 다져놓아야 한다. 하지만 무슨 일로 싸웠거나 크게 감정이 어긋난 때는 대화가 어렵다. 부부나 부모 자녀 간에 친밀감을 회복하는 효과적인 방법은 가족마다 다르다. 진심어린 사과나 따뜻한 문자한 줄일 수도 있고 맛있는 외식이나 선물일 수도 있다. 가능하면 윗사람이 먼저 손을 내미는 것이 좋다. 그리고 먼저 내민 화해의 손길을 상대방도 조건 없이 잡아주어야 한다.

대화 준비도 필요하다. 하고 싶은 말이 있을 때 나오는 대로 뱉었다가 예상치 못한 사태를 맞는 경우가 있다. 예민하고복잡한 얘기일수록 언제 어디서 얘기할지, 첫마디는 어떻게시작할지 생각해보고 말을 꺼내야 한다. 남북 정상회담이나한미 정상회담처럼 회담 날짜와 장소, 의제, 세부적인 절차까지를 따질 필요는 없겠지만, 몇 가지 규칙을 미리 정하고 얘기를 나누면 언쟁이나 싸움을 줄일 수 있다. 주제에서 벗어난 얘기는 삼갈 것, 지나간 일을 들추어 서로 비난하거나 책임 전가하지 말 것, 얘기를 독점하지 말 것, 언성이 높아지고 대화가 잘 안 될 때는 잠시 쉬었다 얘기할 것 등이 대화 규칙의 예이다.

화목한 부부, 행복한 가정을 생각하면 떠오르는 그림은 사람마다 다를 것이다. 하지만 맛있는 음식을 함께 먹으며 따뜻한 대화를 나누는 그림은 누구나 소망하는 가족의 모습이 아닐까? 그러기 위해서 가족과 함께하는 시간, 아내와 함께 대화하는 시간은 일부러라도 만들어야 한다.

2
경청과
공감

사람의 마음을 얻는 최선의 방법

"들어라, 그러지 않으면 당신 혀가 당신을 귀먹게 할 것이다."

"남을 찌르기 위한 뿔보다 남의 말을 듣기 위한 안테나를 길 러라."

"말은 금세 사라지지만 태도는 오래오래 기억된다."

경청을 강조한 격언들이다. 귀가 둘, 입이 하나인 까닭은 말을 적게 하고 남의 말을 경청하라는 뜻이라지만, 남의 말을 귀담아듣는 사람은 드물다. 듣기도 전에 자기 말만 하고 자기 주장부터 편다. 남의 말을 자르고 가로채고 섣불리 결론부터 내려버린다. 청하지도 않은 충고나 조언을 남발하고 남의 의 도를 제멋대로 추측한 다음 판단하고 평가한다. 교묘하게 말 을 돌려 한술 더 뜨거나 자기 자랑을 늘어놓는 사람도 있다.

꼬투리를 잡고 질문 공세를 펼치고 공격할 다음 말을 준비하느라 상대방 얘기는 듣지도 않는다. 말도 안 되는 얘기로 문제를 해결하려 덤비고 섣부른 말로 위로하려 든다. 대화를 하는데 앞에 앉은 사람이 하품을 하며 시계를 보거나 먼 산을 바라보고 휴대전화를 만지작거리면 얘기할 기분이 싹 달아나 버릴 것이다.

자기 얘기를 진심으로 들어주는 이가 없어 아픈 사람이 많다. 상담실을 찾는 사람들도 어떻게 보면 돈 내고 자기 이야기 들어줄 사람을 찾는 건 아닐까? 그럼 왜 사람들은 남의 말을 듣지 않는 것일까? 경청이 그만큼 어렵기 때문이다. 적극적이고 공감적인 경청은 엄청난 에너지와 집중력이 필요한 능동적인 행위이다. 경청은 단순한 기술이 아니라 삶의 태도이자 철학이다. 그런데 남의 말을 잘 안 들으면서도 상대방 얘기를 잘 듣고 있다고, 다른 사람들도 그렇게 생각할 거라고 착각하는데 그것이 경청의 걸림돌이다. 경청은 귀의 문제가 아니라 마음의 문제인데도 청각 기능에 문제가 없으면 듣기는 저절로 된다고 생각한다.

내 말을 앞세우기 전에 남의 말을 귀담아들으면 상대방도 내 말에 귀 기울인다. 내 말만 앞세우고 남의 말은 듣지도 않으면 상대방도 내 말에 귀 기울이지 않는다. 그런 사람의 얘기를 누가 듣고 싶어 하겠는가? 경청은 사람의 마음을 얻는 최고의 기술이며 호감을 사는 최선의 의사소통 방법이다. 그리고 다른 사람의 얘기를 열심히 들으면 많은 정보와 지식, 지혜를 얻을 수 있다. 경청은 상대방에게 주는 최고의 선물이며 경청을 통한 진정한 대화는 삶의 기쁨을 배가한다. 아내와의 대화에서도 마찬가지이다.

그럼 남의 말을 잘 듣기 위해서는 어떻게 해야 할까? 무엇보다 상대방 얘기에 집중하고 몰입해야 한다. 신생아를 보살피는 엄마를 유심히 보라. 아기가 배가 고파서 우는지, 기저귀가 젖어서 우는지, 졸려서 우는지 엄마는 금방 안다. 모든 관심과 신경을 아기에게 온전히 집중하기 때문이다. 자다가도 아기가 울면 반사적으로 깬다. 그 정도의 집중과 몰입은 아니라도 아내의 얘기를 귀 기울여 들어보자. 경청하는 척하는 게 아니라 진심으로. 아내는 남편이 자기 얘기를 집중해서 듣는지, 듣는 척하고 있는지 금방 안다.

공감의 놀라운 힘

표면적인 얘기만 듣지 말고 상대방의 숨어 있는 감정이나 생각, 의도, 욕구까지 헤아릴 줄 알아야 한다. 그것이 바로 공감이다. "도대체 지금 몇 신데 이제 들어와요!" 하며 화를 내는 아내의 짜증만 알아채면 공감이 아니다. 밥 해놓고 기다리다

새벽 1시 반에 문 열어주는 아내의 걱정, 안도감, 서운함, 억울함까지를 헤아릴 줄 알아야 공감의 고수라 할 수 있다.

나에게도 공감은 영원한 숙제이다. 부부 대화법, 가족 대화법에 관해 강의를 하고 상담도 하지만 정작 내 아내나 아이들의 얘기에 진심으로 공감하는 일이 여전히 어렵다. 딸아이가 비상금을 잃어버렸다고 하자 속상한 마음을 다독여주지는 못하고 "그 돈을 주운 사람은 얼마나 횡재했겠니, 긍정적으로 생각해라" 하며 딸아이의 속을 긁었던 적도 있다.

어머님을 떠나보내고 문상객을 맞으면서 어떤 사람이 건네는 위로의 말에 위로는커녕 서운함을 느낀 일이 있다. 영혼 없는 위로, 입에 발린 인사는 가슴에 와 닿지 않는다. 딱히 할 얘기가 떠오르지 않으면 어설픈 말로 어색한 상황을 넘기려 하기보다는 그저 손을 꼬옥 잡아주는 것이 더 큰 위로가 된다. 장사가 안 되고 사기까지 당해서 절망에 빠져 있는 친구에게 "힘내라. 다 지나간다. 하느님은 이기지 못할 시련은 주시지 않는다잖아"라고 위로한다면 그 친구는 "네가 내 마음을 알아? 남 얘기라고 그렇게 쉽게 하지 마"라며 화를 낼 수도 있다. 오히려 그런 때는 "힘들지?" 한마디만 하고 따뜻하게 안아준 다음 옆에 있어주는 것이 더 큰 위로가 될 수 있다. 다음 이야기는 무엇이 진정한 공감인지를 잘 보여준다.

옛날 아주 오랜 옛날, 왕과 왕비에게 어여쁜 공주 하나가 있었다. 아기를 낳지 못하다 겨우겨우 얻은 딸이라 왕과 왕비는 금이야 옥이야 하며 공주가 해달라는 것은 모두 해주었다. 그런데 어느 날, 공주가 하늘에 떠 있는 달을 따달라고 하는 게 아닌가? 왕과 왕비는 참으로 난감했다. 과학자와 의원을 불러다 공주를 설득해보았지만 요지부동이었다. 공주에게 달을 따다 주는 사람에겐 큰 상을 내리겠다고 온 나라에 방을 붙였더니 광대 하나가 찾아와 공주에게 물었다.

"공주님, 달은 어떻게 생겼나요?"

"동그랗지."

"얼마나 큰가요?"

"손톱만 하지."

"그럼 무슨 빛깔인가요?"

"에이 바보, 그것도 몰라? 노란색이잖아."

광대는 무릎을 탁 쳤다.

"공주님! 그러니까 달은 동그랗고 손톱만 한 황금빛 구슬이군요."

"그래그래! 맞아."

광대는 밖으로 나와 손톱만 한 황금 구슬을 갖다 바쳤다. 그리고 왕으로부터 막대한 선물을 하사받았다.

이야기에서 보듯이 과학자나 의원은 달을 따는 것은 불가능하다고 설득을 했지만 광대는 달랐다. 공주의 눈높이에서 진정으로 공감을 해주었던 것이다. 적절한 말을 못 찾고 헤매고 있을 때 누군가 적확한 단어를 찾아준 적은 없는가? 얘기의 마무리를 못 하고 있을 때 누군가 신기하게도 내 마음을 읽고 나보다 더 잘 마무리를 해주었던 적은 없는가? 공감이란 그런 것이다.

진정한 공감의 기술

공감은 진실성, 긍정과 존중을 전제로 한다. 하지만 무조건 동조하는 것은 공감이 아니며, 동정 또한 공감과는 다르다. 공감은 상처를 치유하는 효과도 있다. 내 얘기에 진심으로 공감해주는 사람을 만나면 깊이 이해받는 느낌이 들어 더 이상 답답하거나 외롭지 않다. 긴장이 풀리고 마음이 따뜻하고 든든해지면서 위로와 감동을 받는다. 공감해준 사람과의 유대감, 일체감으로 신뢰가 생기며 묘한 해방감과 희열로 자신이 성장하는 것 같은 경험을 하기도 한다.

공감을 위해서는 '내려놓기'도 필요하다. 끼어들고 싶은 욕구, 물어보고 싶은 욕구, 충고해주고 싶은 욕구, 조언해주고 싶은 욕구, 가르쳐주고 싶은 욕구, 안심시켜주고 싶은 욕구,

문제를 해결해주고 싶은 욕구까지도 말이다. 그러나 그 모든 것을 내려놓은 채 마음을 비우고 상대방 얘기를 경청하는 일은 도를 닦는 것만큼이나 어렵다. 끊임없이 시도하고 노력하면서 연습해야 익힐 수 있는 고도의 기술이다.

경청과 공감은 단순한 인내심만으로 되는 일이 아니다. 사람에 따라 의견이나 생각이 다를 수 있음을 인정하고 겸손하게, 말하기를 절제하면서 상대방과 나 모두를 수용하는 자세가 필요하다. 간간이 대답을 자유롭게 할 수 있는 열린 질문을 하면 상대방의 얘기에 생기를 불어넣는 효과가 있다. '내가 당신의 얘기를 경청하고 있다'는 사실을 온몸으로 표현해주면 더욱 효과적이다. 말하는 사람의 눈을 쳐다보면서 몸을 앞으로 기울이거나 의자를 당겨 앉기도 하고 적절히 맞장구까지 쳐준다면 상대방은 신이 나서 말할 것이다. 상대방의 얘기를 내가 정확하게 이해했는지 나의 말로 옮겨서 표현한 다음 맞는지를 물어보는 '바꿔 말하기', '재진술'도 훌륭한 방법이다.

그러나 상대방의 얘기를 도저히 경청할 수 없는 때도 많다. 적극적인 경청과 공감적 경청이 무엇인지 알면서도 전혀 듣고 싶지 않을 때가 있다. 아이들이 아빠에게 대들거나 아빠의 잘못과 모순을 예리하게 지적할 때, 시종일관 아내가 침묵으로 나를 무시할 때는 경청과 공감 시스템에 심각한 고장이

나버린다. 듣고 싶지 않을 때는 어떤 노력을 해도 들리지 않는 법이다. 그럴 때는 잠시 얘기를 중단하고 심호흡부터 해보자. 그리고 내가 왜 경청과 공감이 안 되는지를 생각하며 '셀프 공감'을 할 필요가 있다. 그럼에도 여전히 경청이 어려우면 차선책으로 양해를 구하자. 도저히 지금은 얘기를 들을 상황이 아니니 다음에 자리를 다시 만들자고. 그렇게 하는 게 현명하고 성숙한 태도이다. 말하는 사람 입장에서도 누가 내 얘기를 듣는 척하는 것보다는 정중하게 다음에 얘기해주기를 청하는 게 기분 상하지 않는다.

가장 중요한 것은 경청하고 공감한 다음 행동으로 보여주는 일이다. 아내가 집안일로 얼마나 고생하고 애쓰는지 알고 있다면서도 여전히 손 하나 까딱하지 않는다면 오히려 아내가 더 심하게 바가지를 긁을 수 있다. 대화의 기술보다 중요한 것은 진정성이며 그 진정성을 상대방이 피부로 느끼게 해주어야 한다.

3
말하기의
지혜

진심을 담아 이야기하기

1992년쯤의 일이다. 지금까지 내가 들어본 가장 감명 깊은 스피치였다.

"심사위원님께 감사드리고 이 문학상을 제정하신 재단 측에도 감사드립니다. 그리고 저 앞에 앉아 계신 저의 어머니께도……"

수상자가 울먹이며 한참 동안 말을 잇지 못하자 사회자가 거들었다.

"여러분, 격려의 박수 한번 보내주시겠습니까?"

수상자는 계속 말을 잇지 못했다.

"수상자가 감정이 북받쳐 계속 말씀을 못 하시는데 다시 한번 뜨거운 박수 부탁드립니다."

그러나 수상자는 끝내 수상 소감을 마치지 못하고 무대에서 내려왔다.

강의와 방송을 하는 사람으로서 나도 수많은 강의와 방송, 연설 등을 들어봤지만 그처럼 감동적인 스피치는 없었다. 말을 잘한다고 하면 대부분 청산유수로 막힘없이 얘기하거나 논리정연하게 때로는 재미있게 얘기하는 걸 떠올린다. 하지만 남편을 여의고 홀몸으로 자신을 키워주신 어머니 앞에서 막내아들이 바친 그 짧은 수상소감은 30년 가까이 지났는데도 기억 속에 선명하게 남아 있다. 아픈 몸을 이끌고 시상식에 참석하신 어머니의 한 많은 세월, 대학을 졸업하고도 취직이 안 돼 걱정만 끼친 불효를 떠올리며 바친 수상 소감이 참석자 모두를 울렸다.

공식석상의 스피치와 가족 간의 대화가 같을 수는 없지만 말하기의 핵심은 크게 다르지 않다. 진심을 담아 얘기하면 굳이 긴 말이 필요 없다. 달변이 아니어도 사람의 마음을 움직인다. 그러나 자기 말만 지루하게 늘어놓거나 자기 자랑만 하고, 무슨 주제든지 끼어들기 좋아하고 남의 말을 자르며 말끝마다 지적하고 평가하고 훈계하는 것은 말하기의 기본을 모르는 태도이다.

효과적인 말하기의 기술

나도 처음엔 아이들과의 대화가 쉽지 않았다. "시내야, 아빠 랑 얘기 좀 할래?"라고 말을 붙이면 딸아이는 많이 부담스러 워했다. 그 이유를 뒤늦게 알았다. 일상적인 얘기를 자연스럽 게 나누는 게 아니라 꼭 시간과 장소를 정해서 대화하자고 하 니 자리가 영 어색해지곤 했던 것이다. 거기다 충고나 조언, 내 생각을 심어주려는 교훈 일변도였으니 딸아이가 나와 대 화하는 것을 좋아할 리 없었다. 국가의 번영이나 세계평화, 교육 문제, 청소년 문제 같은 거대 담론보다 지극히 일상적인 얘기부터 자연스럽게 나눌 것을 권한다. 잡담하듯이, 수다 떨 듯이 말이다.

아내나 아이들의 수다를 막지 말자. 나이가 들어 술 한잔 걸치면 남자들의 수다 또한 여자들 못지않다. 대화가 툭툭 끊 기는 경우를 살펴보면 공통의 화제가 없거나 대답하기 싫은 질문을 할 때, 상대가 어려울 때, 대화 내용에 대한 지식이 부 족할 때, 그리고 사이가 나쁠 때이다. 공통의 화제는 신문이 나 TV를 보다가 자연스럽게 잡아낼 수도 있고, 아내나 아이 들이 하는 얘기에서도 찾을 수 있다.

남자들의 무뚝뚝함도 문제이다. 모처럼 정성들여 만든 음 식을 식탁에 올리고 아내가 맛있느냐고 묻는데 "예전보다 맛 이 없어. 당신 이제 늙었나 봐. 입맛이 변한 거 아냐?"라며 아내의 가슴에 못질을 한다면 대화의 '대' 자도 모르는 남편이다. 그런가 하면 말 한마디 잘못해 평생 씻을 수 없는 상처를 남기는 아빠나 남편도 많다. 싸우고 때리고 전쟁하는 것만 폭력이 아니다. 함부로 내뱉은 말 한마디도 폭력이 될 수 있다.

무엇을 잘하는가보다 무엇이 잘못되었는가만 지적하는 아빠에게는 아이들이 마음의 문을 닫아버린다. "요즘 애들은 아는 게 아무것도 없어"라고 무시하지 말자. 서로 알고 있는 지식이 다를 뿐이다. 나 또한 모르는 게 많다는 것을 인정할 줄 알아야 한다.

내가 하고 싶은 말만 하지 말고 아내나 아이들에게 초점을 맞춰 그들의 관심사에 대해서 물어보자. 아무리 말이 없는 자녀나 아내라도 자기가 좋아하는 연예인이나 취미, TV 프로그램에 대해서 물어보면 말문을 열 것이다.

대화의 첫마디도 중요하다. 중간고사를 마치고 피곤해서 누워 있는 아이에게 퇴근해 돌아오자마자 "시험 잘 봤니? 몇 점 맞았어?"로 시작하면 아이의 기분이 어떨까? 아무리 회사에서 안 좋은 일이 있었더라도 귀가해 현관문을 열자마자 "도대체 집안 꼴이 이게 뭐야? 아이고, 이거 완전히 돼지우리네"라고 타박을 하면 어느 아내가 좋아하겠는가? 최소한 첫마디만이라도 따뜻한 말, 격려하는 말, 감사하는 말로 시작하자.

"여보! 오늘도 종일 수고했어."

"혜정아, 시험 보느라 애썼다. 힘들었지?"

그러고 나서 하고 싶은 얘기를 꺼내도 늦지 않다. TPO에 대해서도 유의해야 한다. 내가 이런 얘기를 꺼내도 좋은 때 time인지, 장소place인지, 상황occasion인지 살펴가며 말문을 열자. 예민한 얘기, 듣고 싶지 않은 얘기를 식탁에서 꺼내는 것은 다 같이 체하자는 것이나 마찬가지이다. 그리고 다른 사람이 있는 데서는 아내나 아이들의 입장을 배려하며 체면을 살려주는 매너도 필요하다.

다소 부정적인 얘기라도 '그때그때 사뿐사뿐' 꺼낸다면 듣는 사람이 기분 나쁘지 않다. 서운하고 화나는 감정을 묵혀두고 쌓아두었다가 꺼내면 감정이 증폭되어 언성부터 높아진다. 언성이 높아지면 그 의도가 왜곡되고 불필요한 오해만 커진다. 그때그때 나의 감정을 직접, 부드럽게 표현하는 것이 최선이다. 만날 때마다 내가 밥값과 술값을 내는데 거의 한 번도 자기 지갑을 여는 법이 없는 지인이 있었다. 몇 번을 망설이고 망설이다가 어렵게 얘기를 꺼냈는데 의외로 상대방이 불쾌하게 받아들이지 않았다. 그리고 아직도 만남을 계속하고 있다. 자신의 감정을 표현하지도 않고 상대방을 원망하고 비난만 할 게 아니라 솔직하게 말하고 소통해보자. 상대방이 생각보다 쿨하게 받아들일 수도 있다.

가족 내 의사소통 패턴을 설명하는 '이중구속이론'이 있다. 말하는 사람이 듣는 사람에게 서로 모순된 메시지를 동시에 보내는 경우, 한 메시지에 반응하면 다른 메시지를 위반하게 되어 어떻게 반응해도 실패하게 만드는 의사소통 형태이다. 밤늦게 들어온 아들에게 아빠가 당장 집을 나가라고 호통을 쳤더니 아들이 정말 집을 나가려고 한다. 이때 아빠가 더 화를 내며 부모 알기를 우습게 안다고 소리를 지른다. 그러면 아이는 나가지도 들어오지도 못하는 상황이 되는 것이다.

'이중구속'이란, 말로는 무엇을 하라고 해놓고 동시에 그것을 부정하는 듯한 말이나 몸짓이나 표정을 보이면 상대방은 이중으로 구속된 상태가 되어 아무것도 할 수 없게 됨을 뜻한다. 외식하러 나가서 먹고 싶은 것 말해보라고 해놓고선 아이가 스파게티를 먹자고 하면 "국수를 뭐 그리 비싼 돈을 내고 먹냐?"고 하는 아빠가 있다. 아이가 투덜거리면 "아냐, 너 먹고 싶은 것 먹어"라고 달랜다. 아이가 다시 햄버거를 먹자고 하면 이번에는 "패스트푸드라서 몸에 안 좋다"고 또 반대한다. 아이는 이러지도 저러지도 못 하고 난감해한다. 그런데 이런 이중구속 메시지에 지속적, 반복적으로 노출되면 아이들은 심한 스트레스를 받아 정서장애가 생길 수 있다.

말하기의 3단계 법칙

나의 감정과 생각, 원하는 바를 효과적으로 전달하는 '말하기의 3단계 법칙'이 있다. '사실-느낌-부탁'의 3단계이다.

1단계 '사실'에서는 '내가' 보고 들은 바를 평가하지 않고 사실만 전달하는 것이다. 흔히 'I-Message'라고 하는 '나 전달법'을 잘 활용하면 상대방이 비난받거나 공격당한다는 느낌으로 반발하는 일을 줄일 수 있다. 그러나 우리는 평가가 뒤섞인 비난이나 단정이 담긴 'You-Message'를 보내며 사실만 얘기했다고 착각한다.

1. 당신 나에게 관심이나 있어?

2. 나에게 이래라저래라 하지 마.

3. 아빠 말이 말 같지 않아? 내 말을 무시하는 거야?

그러나 '관심이 없다', '이래라저래라 한다', '내 말을 무시한다' 같은 표현은 나의 느낌이나 생각이 담긴 평가이지 사실이라고 볼 수 없다. 평가를 배제하고 사실에 근거한 표현으로 바꾸면 다음과 같다.

1. 내가 아프다고 해도 어제오늘 당신은 나에게 몸이 어떠냐고 한 번도 안 물어봤어.

2. 여보, 오늘 아침에도 당신이 이 와이셔츠 입어라, 저 넥타이 매라, 까만 양말 신어라, 세 번이나 얘기했어.

3. 상우야, 게임 좀 그만하고 들어가서 숙제부터 하라고 했는데 대답 도 안 하고 너 계속 게임만 하고 있더라?

2단계 '느낌'에서는 상대방의 행동이나 말에 대한 나의 느 낌, 감정, 기분을 표현해준다.

1. 내가 아프다고 해도 나에게 몸이 어떠냐고 한 번도 안 물어보면 저 사람이 나에게 관심이나 있나 싶어 많이 서운해.

2. 당신이 준 와이셔츠 입어라, 넥타이 매라, 양말 신어라, 세 번씩이 나 얘기하면 졸병한테 명령하는 상관 같아서 기분이 나빠.

3. 게임 좀 그만하고 숙제부터 하라고 해도 대답도 없이 계속 게임만 하면 아빠 말을 무시하나 싶어 화가 나.

그런 다음 내가 정말 바라고 원하는 바를 부드럽게 '부탁' 하는 식으로 표현하는 것이 마지막 3단계이다.

1. 내가 아프다고 해도 나에게 몸이 어떠냐고 한 번도 안 물어보면 (사실)

저 사람이 나에게 관심이나 있나 싶어 많이 서운해(느낌).

남편이 아프다고 하면 몸이 좀 어떠냐 물어보기도 하고, 좀 늦게 퇴근해 들어오면 밥은 먹었는지 물어봐줬으면 좋겠어(부탁).

2. 당신이 준 와이셔츠 입어라, 넥타이 매라, 양말 신어라, 세 번씩이나 얘기하면(사실)

졸병한테 명령하는 상관 같아서 기분이 나빠(느낌).

옷은 내가 알아서 입고 가게 해줘(부탁).

3. 게임 좀 그만하고 숙제부터 하라고 해도 대답도 없이 계속 게임만 하면(사실)

아빠 말을 무시하나 싶어 화가 나(느낌).

상우야! 아빠가 뭐라고 얘기하면 대답부터 좀 해줄래?(부탁)

일상적인 대화를 매번 이렇게 하기는 어렵다. 하지만 이런 원칙을 늘 염두에 두고 한 번쯤 생각한 뒤 말하는 연습을 해보자. 설사 말하기 3단계 법칙대로 안 되고 불쑥 험한 말이 튀어나왔더라도 곧바로 수정해서 부드럽게 표현하는 연습을 꾸준히 시도하면 관계는 훨씬 부드러워질 것이다.

반드시 피해야 할 대화 유형

말하기의 3단계 법칙보다 더 중요한 것이 있다. 해서는 안 될 말을 삼가는 것이다. '화가 나면 무슨 말을 못 해'가 아니다.

어떤 경우라도 해서는 안 될 말이 있다. 경멸, 비난, 인격적인 모독, 양가 집안 험담 등이다. 그리고 비교, 단정, 추측, 추궁, 담쌓기, 원망, 책임 전가, 명령, 지시, 빈정대기 등도 삼가야 한다. 말이나 행동에 대한 지적은 참을 수 있지만 존재 자체를 비하하거나 경멸하는 말은 평생 상처가 된다.

"저런 놈을 낳고도 내가 미역국을 먹었으니, 넌 도대체 뭐가 되려고 그러냐?"

"당신이 잘하는 게 뭐야?"

"그딴 식으로 하려면 당장 때려치워. 너 그러라고 내가 뼈 빠지게 돈 버는 줄 알아?"

이런 말로는 관계만 나빠지고 아무것도 해결할 수 없다.

침묵을 통해 나와 대화하기

마지막으로 '침묵'을 권하고 싶다. 초등학교 때 써놓은 내 일기를 보면 어린 것이 뭘 알고 그랬는지 '말을 적게 하자'는 대목이 자주 나온다. 이제 나이 60을 넘기며, 어떤 자리에서는 의도적으로 말하기를 절제하고 남의 얘기를 듣기만 할 때가 있다. 거의 한마디도 안 하지만 별문제가 없다. 다들 얼마나 하고 싶은 얘기가 많은지 아무도 나에게 한마디 하라고 권하지 않는다. 오히려 다른 사람의 얘기를 듣는 즐거움이 쏠쏠하다. '난 저렇게 얘기를 독점하지 말아야지' 하는 교훈도 얻게 되고.

고요한 장소를 찾으면 좀 더 적극적인 침묵을 실천할 수 있다. 숲이나 교회, 사찰도 좋고 조용한 내 방도 좋다. 아무 말도 하지 않고 어떤 소리도 내지 않는 침묵을 통해 내적으로 고요해지는 시간을 가져보자. 온갖 잡다한 생각이나 걱정, 욕망이나 불안 등을 침묵으로 잠재우면 어머니 품에 안긴 것 같은, 고향에 돌아온 것 같은 평온함을 맛볼 수 있다. 진정으로 자유롭고 순수한 나 자신과 대화하는 참 기쁨을 느껴보고 싶지 않은가!

4
내가 원하는 것을
얻는 방법

상대 마음을 먼저 읽기

결혼하고 20여 년 동안 같은 문제로 계속 싸우면서 에너지를 낭비하고 파국을 맞은 부부를 본 적이 있다. 그 정도면 뭔가 방법을 찾아볼 법도 한데 언제나 '네 잘못이니 너부터 고쳐라' 책임 전가만 하며 악순환을 반복하는 부부였다. 서로 '너부터 고치면 나도 변하겠다'는 식이어서 싸움이 끝날 줄을 모른다. 그리고 상대방에게 원하기만 하지 내가 상대방을 위해서 뭘 해야 하는지는 고민하는 법이 없다.

습관적으로 '하지 말라'는 말만 하는 사람도 있다.

"홈쇼핑 좀 그만해라."

"시부모한테 말대꾸 좀 하지 마."

"술 좀 작작 마셔."

"담배 좀 끊을 수 없어?"

뭘 못 하게만 하지 자신이 정말 무엇을 원하는지는 얘기하지 않는다. 부부니까, 가족이니까 얘기 안 해도 알 거라고, 알아서 챙겨줄 거라고 생각하지만 말을 안 하면 귀신도 모른다. 말을 하지 않는 걸 넘어서 자신이 진정으로 원하는 삶이 무엇인지를 모르는 사람도 있다. 자신을 모르면 상대방도 이해하기 어렵다. 내 인생에서 가장 중요한 게 뭔지는 생각해보지 않고 아내와 갈등하고 싸우는 게 습관이 되어버리지는 않았는지, 돌아볼 일이다.

부부 사이도 일종의 권력관계요 부부간에도 협상이 필요하다. 하지만 이렇게 생각하는 사람도 많다.

'가족끼리 무슨 협상이냐?'

'각박하게 자기 이익만 챙기는 협상이라니, 가족끼리 무슨 상거래하는 것도 아니고.'

'조건 없이 주는 사이가 부부고 가족 아냐?'

그러나 가족 간에도 끊임없이 무언가를 요구하며 협상을 하는 셈이다.

"여보, 생활비 좀 올려줘요."

"아빠, 휴대전화 새 걸로 하나 사주시면 안 돼요?"

"여보! 나 친구들과 2박 3일 골프 여행 좀 갔다 올게."

그러면서 끊임없이 줄다리기를 하는 것이다. 그것을 협상이라고 하든 가족 간 대화라고 하든, 내가 원하는 것을 얻으려면 어떻게 풀어나가는 것이 좋을까?

"나하고는 해외여행 한 번 안 가면서, 이번에 가면 올해 벌써 골프 여행만 두 번째야. 절대 안 돼."

아내가 이렇게 화를 낸다면 이유를 곰곰이 생각해보자. 서운해서 그러는 것일 수도 있고 돈 때문에 반대하는 것일 수도 있다. 혹은 남자들이 외국 나가서 이상한 짓을 한다는 말을 누군가에게서 듣고 외도를 걱정하는 것일 수도 있고, 수술한 남편 허리를 염려해서 하는 소리일 수도 있다. "왜 내가 좋아하는 일은 사사건건 못 하게 해?"라며 화부터 낼 일이 아니다. 무조건 결정부터 해놓고 통보하는 식이면 어느 아내인들 서운하지 않겠는가? 아내나 아이들이 나에게 무슨 말을 할 때 그들의 머릿속에는 어떤 그림이 있을까를 먼저 생각해보자. "몇 년을 함께 산 가족인데 내가 그걸 모르겠느냐?"고 단정 짓지 말고 왜 그렇게 생각하고 왜 반대를 하는지 물어보고 확인할 필요가 있다.

목표와 점진적인 접근법

가정법원에서 이혼소송 사건을 조정하다 보면 안타까운 부부를 많이 만난다. 자기가 정말 원하는 것이 이혼인지, 양육권인지, 재산인지, 아니면 진심어린 사과인지를 분명하게 알지도 못하고 싸우는 경우이다. 상대방을 망가뜨릴 수만 있다면 뭐든 하고야 말겠다는 식으로 덤비며 자신도 망가지는 불행을 자초한다. 설사 상대방의 태도가 공격적이어도, 지난 일을 들추며 자꾸 나를 비난해도 웬만하면 참고 '내가 원하는 것을 얻을 수 있는 최선의 해결책이 무엇인지' 그 '목표'에 집중하는 것이 현명하다. 내가 원하는 것을 단번에 얻으려 서두르기보다 점진적으로 접근하는 것이 효과적이다. 한꺼번에 너무 많은 것을 요구하면 상대방은 위협적으로 느껴 방어부터 하며 더욱 강하게 거부한다.

오래 전부터 나에게는 연구소를 자연 가까이 두고 싶은 소망 하나가 있었다. 전국을 다니며 강의를 하다 보니 꼭 '서울 서울' 할 이유가 있을까 싶었다. 지방 소도시나 시골에서 여유롭게 풍요로운 삶을 누리는 '마음 부자'들을 많이 봐왔기 때문이다. 그러다 2년 전 마침내 그 꿈을 이루었다. 바로 '점진적인 접근법'을 통해서였다.

점진적인 접근법을 처음부터 알고 시도한 것은 아니지만, 지금 돌아보면 끊임없이 아내와 상의하고 때로는 한발 양보하고 후퇴하면서 조금씩 앞으로 나아갔던 것이 나의 소망을 이루는 비결이 되었다. 어디서 살지는 전적으로 아내에게 맡기고 연구소 일은 내가 최종 결정권을 갖는다는 게 우리 부부의 원칙이었다. 아내와 같이 일하기 때문에 연구소의 소소한 일도 아내를 믿고 맡겼다.

그런데 연구소를 지방으로 옮긴다고 하니 처음에는 아내가 반대했다. 차선책으로 서울에서 자동차로 한 시간 이내 거리에 있는 주택을 임대하기로 했다. 거기서 몇 년 지내보고 아니다 싶으면 서울로 다시 연구소를 옮기기로 약속했다. 하지만 2년 정도 지내보니 나쁘지 않았다. 내친김에 아예 땅을 사서 연구소 건물을 한번 지어보면 어떻겠느냐고 했더니 아내는 일을 크게 벌이지 말자고 했다. 땅을 사는 것도, 집을 짓는 것도 반대라는 것이다. 그래도 한번 구경이나 하자며 여기저기 드라이브하듯 땅을 함께 보러 다녔다. 그런데 한곳을 보고 와서 아내의 마음이 달라졌다. 지금은 새로 지은 연구소에서 행복하게 근무하고 있다. 땅 매입부터 설계, 시공까지 모든 것을 아내와 일일이 상의하고 조율하면서 아내의 의견을 십분 반영한 덕분이다. 살림집까지 연구소 옆으로 이사해 살아도 좋겠다는 아내를 내가 말렸다. 서두르지 말자고.

서둘러 밀어붙이면 그만큼 빨리 원하는 것을 얻을 것 같지만 원점으로 돌아가거나 더 큰 손해를 보기도 한다. 무리하게 홈런 한 방을 날리려고 할 게 아니라 착실히 안타를 때려 나가면 언젠가는 홈을 밟을 수 있음을 명심하자.

사소한 카드 양보하기

서로 다른 가치를 교환하는 것도 내가 원하는 걸 얻는 비결이다. 같은 것을 두고도 사람마다 느끼는 가치가 다르다. 사소한 카드는 백번 양보하고 내가 정말 양보할 수 없는 것은 지혜롭게 주장하면 된다. 아내가 뭘 먹고, 뭘 입고, 생활비를 어떻게 쓰는가는 아내에게 전적으로 맡기지만 자신의 일만큼은 소신대로 하고 싶어 하는 남편의 경우라면 아내와 합의한 범위 내에서의 결정은 서로 문제 삼지 않고 인정해주며 살면 된다.

자녀 교육도 마찬가지이다. 아이들의 언행 하나하나까지 지나치게 간섭하는 것보다 사소한 습관, 취향, 취미 생활, 옷차림 등은 관대하게 허용하고, 귀가 시간이나 용돈 등 부모로서 중요시하는 부분은 엄격한 잣대를 적용하면 된다. 여름휴가에 '가족이 다 함께' 여행을 떠나는 것이 내가 원하는 바라면 행선지나 일정, 날짜 등은 가족에게 양보하고 빠지는 사람이 없도록만 하면 된다.

어떤 경우에도 자녀에게 거짓말을 해서는 안 된다. 아이들이 약속을 잘 안 지킨다고 하는 부모들이 많지만, 사실 부모들도 자녀들과 한 약속을 지키지 않을 때가 많다. 그리고 그 점을 아이들이 지적하면 적당히 얼버무리거나 오히려 화를 내기까지 한다. 그렇게 해서 부모 자녀 간이나 부부간에 신뢰가 무너지면 절대로 내가 원하는 것을 얻을 수 없다.

모든 문제를 해결할 줄 아는 전능한 부모가 되려고 애쓸 필요도 없다. 아이들이 어느 정도 성장하면 아이들에게도 도움을 청하고 의견을 구해보자. 부모로부터 인정받는 뿌듯함을 맛볼 기회를 부모가 제공해주는 셈이다. 의외로 아이들의 직관력과 통찰력이 부모보다 뛰어난 경우도 많다. 그리고 부모와 대화할 때 지켜야 할 기본 매너도 가르쳐주자. 부모가 뭘 물어보면 바로 대답하고 말대꾸하지 말기, 부모 얘기가 끝나기도 전에 문 쾅 닫고 자기 방으로 들어가지 말기, '감사합니다, 고맙습니다, 잘 먹었습니다, 죄송합니다' 같은 말을 아끼지 않기, 인사 잘하기 등등. 때로는 부모에게 어리광이나 애교를 부리는 것도 본인이 원하는 것을 얻는 지혜라고 넌지시 귀띔해주자.

부모나 손위 형제, 장인 장모 앞에서는 싫다는 말도 못 하고 질질 끌려다니면서 속앓이를 하는 사람이 있다. 자신이 뭐라고 하면 어떤 반응이 나올지 몰라 늘 양보하고 뒤치다꺼리만 하면서도 좋은 소리를 못 듣는다. 하지만 무엇 때문에 힘든지, 그 일을 얼마나 싫어하는지 말하지 않으면 아무도 모른다. 얘기도 안 하면서 상대방을 원망하고 비난만 하지 말고 내 생각과 감정을 표현하고 주장하는 기회를 만들어보자. 그 방법이 반드시 공격적이거나 불손할 필요도 없고 그것이 가

족관계를 파괴하는 일도 아니다. 얘기를 했더니 뜻밖에 일이
순조롭게 풀리는 경우도 있고, 얘기를 해줘서 고맙다는 인사
를 받기도 한다.

5
다양한
대화 방법

얼굴을 맞대고 말로 하는 것만 대화는 아니다. 스킨십 또한 훌륭한 대화 방법이다. 열 마디, 백 마디 말로도 할 수 없는 메시지를 다정히 손잡고, 팔짱 끼고, 어깨 감싸고, 백허그하고, 볼 부비며 입 맞추는 스킨십으로 대신 전할 수 있다. 그러나 그런 스킨십을 상대방이 받아들일 만한 상황인지를 봐가면서 하는 센스가 필요하다. 일방적으로 스킨십을 하고 상대방의 반응이 기대에 미치지 못한다고 기분 나빠하면 그런 스킨십은 안 하느니만 못하다.

포옹은 아주 간단하면서도 몸으로 나누는 효과적인 대화 방법이다. 돈도 안 들고 어디서든 할 수 있으며, 따뜻한 위로와 격려가 되기도 하고 힘을 북돋아주는 효과가 있다. 다정하게 서로 안아주다 보면 새로운 친밀감과 사랑도 싹튼다. 내가 안아주는 것도 중요하지만 지쳐 있는 남편을 위해, 우울한 아빠를 위해 한번 안아달라고 아내나 아이들에게 청해보는 것도 친밀함의 표현이다.

손편지는 그 사람의 정성이나 체취를 느낄 수 있어 좋다. 생일이나 결혼기념일, 크리스마스와 새해 등 때에 맞춰서 보내는 것도 좋지만 생각날 때 보내는 것도 뜻밖의 기쁨을 준다. 편지나 영상통화도 이용만 잘하면 기대 이상의 결과를 가져온다. 얘기를 하다보면 중간에 말을 자르며 반박하고 자기 변명만 하거나 지난 일을 들추면서 비난하다 더 큰 싸움이 되기도 한다. 하지만 편지나 영상통화는 자신의 생각이나 감정을 차분하게 정리해서 상대방에게 전달하기 때문에 그런 상황을 피할 수 있다.

천주교의 ME Marriage Encounter(부부일치운동)에서 사용하는 '10&10'을 강력 추천한다. 부부가 각자 공책 한 권을 준비한 다음 오늘 하고 싶은 얘기, 나누고 싶은 주제를 함께 정한다. 예를 들면 '최근 우리에게 일어났던 좋은 일은 무엇인가?', '당신에게 가장 칭찬받고 싶은 것은 무엇인가?', '나는 당신의 어떤 점을 사랑하는가?', '당신과의 대화에서 내가 피하려고 하는 것은 무엇인가?', '당신이 나의 삶에 있어 가장 소중한 사람임을 깨닫게 되었을 때는 언제인가?', '당신이 내 잘못을 지적했을 때 나의 느낌은?', '내가 오늘 당신에게서 받은 느낌은?', '언제 나는 내 가면 속에 숨는가?' 등 그 어떤 주제라도 좋다.

　그런 다음 그 주제에 대해 10분간 쓰고 서로 바꿔 본 다음 10분간 대화를 나누는 것이다. 종교와 관계없이 할 수 있으며 그 뛰어난 효과는 수많은 사례를 통해 입증되었다. 일단 그 형식이 갖는 탁월함에 놀란다. 서로가 합의한 주제에 대해서만 얘기하기 때문에 딴 길로 새거나 지난 일을 들추는 일을 피할 수 있다. 그리고 서두는 반드시 서로에 대한 감사와 칭찬으로 시작하기 때문에 우호적인 분위기 속에서 대화를 이어나갈 수 있다. 지나치게 길어져 논쟁으로 번지거나 지치게 하는 일 없이 20분을 넘지 않도록 하고 못 다 한 얘기는 다음으로 미루는 융통성도 훌륭하다. 하루 20분이 말처럼 쉽지는 않다. 하지만 10&10이 습관만 되면 온갖 감정의 쓰레기를 정리하고 부부가 더욱 깊게 소통할 수 있다.

　인사 또한 대화를 위한 좋은 촉매제이다.

"회사 갔다 올게."

"여보, 다녀왔어요."

"준우야, 잘 자라."

"잘 먹었어, 여보! 정말 맛있네."

　한 지붕 밑에서 사는 가족이라고 생략하거나 적당히 넘기지 말고 내가 먼저 인사하는 가족 문화를 만들어보자. 퇴근해서 현관문을 열고 들어서는데 온 가족이 모두 나와 "아빠! 다녀오셨어요?"라고 인사를 한다면 얼마나 기쁘겠는가? 마음만 먹으면 나도 그런 기쁨을 아내나 아이들에게 선물할 수 있다. 그렇게 주고받는 인사는 가족 간의 대화를 부르는 촉매제가 된다. 인사 먼저 하는 가족 문화가 뿌리내리면 훗날 아이들이 인사 잘하는 것만으로도 인정받는 사람이 되어 있을 것이다.

문자 메시지, SNS, 이메일, 영상통화 등 문명의 이기도 십분 활용해보자. 얼굴을 직접 보며 하기 쑥스러운 사랑과 감사의 표현, 사과 등도 이런 수단을 통해 편리하게 전할 수 있다. 시간 여유가 있을 때 메시지를 보내놓으면 상대방도 편한 시간에 댓글이나 답장을 보낼 수 있다. 문자 메시지나 SNS는 표정이나 감정이 나타나지 않아 좋을 때도 있지만 어투를 잘못 해석해 오해가 생기는 경우도 있으니 조심해야 한다.

또한 서로 믿질 못해 현장을 확인하는 수단으로 영상통화를 이용하는 것은 절대 삼가야 한다. 단체 대화방을 만들 때도 부부, 자녀, 사위, 며느리를 어떻게 묶는 것이 좋을지 고민해볼 필요가 있다. 어른이 남긴 글에 일일이 댓글을 달기가 부담스러워 불편해질 수도 있기 때문이다. 흥분하거나 화가 난 상태에서 이메일을 보내거나 상대방의 이메일을 받은 뒤 이성을 잃고 바로 답장을 날리는 것도 자제해야 한다. 흥분을 가라앉힌 뒤 차분하게 답장을 보내야 엎지른 물을 주워 담느라 고생하지 않는다.

유머 또한 대화를 부드럽게 하는 윤활유이다. 타고난 유머 감각이 없더라도 서로를 즐겁게 해주기 위해 시도하는 유머는 긴장을 풀어주고 서로를 더욱 가깝게 해준다. 떠도는 유머를 생각 없이 퍼 나를 게 아니라 가족에게 맞는 맞춤형 유머를 준비할 수 있다면 더욱 좋다. 가족 중 누군가 유머라고 얘기하는데 내가 알고 있거나 썰렁한 유머라고 핀잔을 주어서는 안 된다. 미리 뒷부분을 말해버려 상대방을 무안하게 하지 말고 처음 듣는 것처럼 크게 웃어주자.

종교에 관계없이 기도도 특별한 대화 방법으로 활용할 수 있다. 자녀들에게 바라는 것, 하고 싶은 말을 직접 대놓고 하다 보면 잔소리나 간섭이 되기 쉽다. 하지만 기도 형식으로 표현하면 훨씬 부드럽게 전할 수 있다.

"우리 희진이를 제 할 일은 스스로 챙길 줄 아는 성숙한 청소년으로 성장하게 해주시옵소서."

"온갖 유혹에서 우리 지민이를 지켜주시고 자기 삶의 주인공이 될 수 있도록 보살펴주시옵소서."

흔히 가족에 대해서는 잘 알고 있다고 생각하지만 의외로 가족끼리도 모르는 게 많다. 유명 인사나 연예인을 인터뷰하듯이 아빠가 자녀들에게 사전 질문지를 보여주며 인터뷰를 요청해보자. 아이들에게 기자나 리포터 역할을 맡긴 다음 엄마나 아빠를 인터뷰하게 해볼 수도 있다. 자칫 어색할 수 있는 대화를 인터뷰 형식으로 하다 보면 서로를 깊이 있게 이해할 수 있는 좋은 기회가 된다.

가족 퀴즈 대회도 서로를 알 수 있는 좋은 방법이다. 서로가 잘 모르는 일이나 알리고 싶은 사항, 또는 가족이 공유했으면 하는 내용 또는 돌아가신 할아버지 할머니에 대한 이야기를 퀴즈로 알아가는 것이다. 온 가족이 다 모이는 명절이나 가족 행사 때 상품까지 걸고 하면 재미난 이벤트가 된다.

바둑에서의 복기도 응용해보자. 서로 나눴던 대화를 돌아보며 '그때 그렇게 얘기하지 말고 이렇게 얘기했더라면 더 좋았을 텐데' 하고 반성하는 연습이다. 아무리 상대방을 존중하고 대화의 원칙을 지키며 신경 써서 얘기를 나누더라도 습관처럼 험한 말이 튀어나오거나, 해서는 안 될 말을 뱉어버려 관계가 나빠질 때가 있다. 그런 경우 대화의 복기를 통해 꾸준히 개선해나가면 최악의 사태를 예방할 수 있다.

섹스는 부부가 몸으로 나누는 최고의 대화이다. 출산이 섹스의 목적이었던 옛날과는 달리 요즘은 즐거움도 섹스의 중요한 이유가 된다. 여성도 남성과 마찬가지로 성적인 욕구를 가지고 있다. "가족끼리도 섹스를 하느냐"며 농담들을 하지만 나이 70~80에도 활발한 성생활을 누리는 부부도 많다. 자녀 양육이나 과도한 업무로 바쁘고 지쳐 섹스리스가 된 부부들도 있지만, 성적 친밀감은 부부 사이를 이어주는 강력한 접착제가 된다. 부부관계에 섹스가 전부는 아니지만 금이 간 부부들을 보면 예외 없이 잠자리에 문제가 있다. 육체적인 건강뿐 아니라 부부 사이의 친밀감이 유지돼야 성생활도 즐길 수 있다.

섹스는 삶에 활기를 불어넣어주고, 심폐 기능을 강화하며, 노화를 방지하고, 면역력을 높여주며, 다이어트에도 도움이 된다는 것이 성의학자들의 연구 결과이다. 그뿐만 아니라 사랑받고 있다는 만족감, 남자로서의 자신감, 심리적 안정감까지 주는 최고의 선물이다. 나이가 들면 성기능은 약화되지만 성욕까지 없어지는 것은 아니다. 미국 경제 전문지 〈포브스〉가 소개한 '장수하기 위한 열 가지 방법' 중에도 '섹스를 많이 하라'가 있을 만큼 부부의 성생활은 중요하다.

원만한 성생활은 결혼만 하면 저절로 보장되는 게 아니다. 의도적인 노력을 꾸준히 해야 한다. 서로의 성감대가 어디인지, 어떤 체위를 좋아하며 싫어하는지 서로 얘기를 나눠보자. 지나치게 성교 중심 또는 오르가슴만을 목적으로 하는 섹스가 아니라 성적인 대화나 스킨십 등 넓은 의미의 성생활을 즐기는 것이 건강하다. 아내의 성적인 욕구를 배려해주고 자신의 신체적인 매력을 만들어가는 노력도 게을리 하지 말아야 한다. 아내와의 잠자리를 위해 청결, 조명, 음악까지 고려하면서 장소나 시간에도 변화를 주는 센스를 발휘한다면 당신은 훌륭한 남편임에 틀림없다.

5장

나의 삶

1
다시
부부다

4년 전 딸아이가 결혼하고 작년 가을 아들까지 짝을 만나 가정을 이루었다. 이제 아내와 단둘이 남으니 다시 신혼을 맞은 기분이다. 아들 보내고 한 1~2주, 퇴근해서 집에 들어오던 아들이 없으니 아내가 적적해했다. 그러나 지금은 밥 차려줄 걱정 안 하고 빨래도 줄고 옷 다려주지 않아도 된다며 편해서 좋단다. 서로 챙겨줄 짝들을 만나 별일 없이 잘 살고 있으니 감사할 따름이다. 재작년, 14년 동안 키우던 강아지도 떠나보내고 이제 내 옆에는 아내만 남았다.

아내가 먼저 떠난다면

가끔 '아내가 나보다 먼저 세상을 떠난다면?' 그런 상상을 할 때가 있다. 처음에는 내색 안 하고 꿋꿋하게 잘 버틸 것이다. 아버지와 어머니가 돌아가셨을 때도 그랬고 강아지를 떠나보 냈을 때도 그랬으니까. '받아들여야 해. 언젠가는 다 지나갈 거야. 영원히 계속되는 고통은 없어. 아내도 내가 즐겁게 살 기를 원할 거야'라고 주문을 외면서 씩씩하게 살 것이다. 밥 도 약이라 생각하고 챙겨 먹고 운동도 하고 기도와 묵상, 일 기와 음악 등으로 아픔을 잊으려고 애를 쓸 것이다.

하지만 그러다가도 어떤 장소, 소리, 냄새 때문에 아내 생 각이 나거나, 누군가를 만나 갑작스럽게 아내와의 추억이 떠 오르면 눈물이 터질 것이다. 구멍이 뻥 뚫린 가슴을 부여안고 걷잡을 수 없는 슬픔과 고통으로 잠 못 이루는 날도 있을 것 이다. 김치찌개나 만두를 보아도, 숲길을 걷다가도, 아내가 만 들어준 베갯잇만 보아도, 아내가 좋아하던 〈모란 동백〉 노래 만 들어도, 아내가 애지중지하던 재봉틀만 보아도 아내 생각 이 간절할 것이다. 아내의 조용히 코고는 소리도 그리울 것이 다. 아침에 문득 잠이 깨어 아내의 빈자리를 발견하면 많이 쓸쓸할 것이다.

가계수표를 들고 며칠을 잠적해 아내 속을 썩인 지난날이 후회스러울 것이다. 아내가 좋아하는 TV 연속극도 못 보게 하고, 크리스마스 때도 일찍 자자고 불을 꺼버리고, 식구들 앞에서 아내의 방패막이가 못 되어주고, 매일 술 마시고 밤늦게 들어와 아이 업은 아내를 길가에서 기다리게 한 기억이 나를 몹시 아프게 할 것이다. 아내가 살아 있던 시절로는 다시 돌아갈 수 없음도 깨닫게 될 것이다. 누군가 위로하는 말에도 목이 메고 손주들이 할머니를 찾으면 가슴이 찢어질 것이다. 아내의 빈자리가 문득문득 느껴지면 사무치는 그리움에 잠 못 들고 술로 지새는 날도 있을 것이다.

하지만 받아들여야 한다고, 받아들이지 않으면 안 된다고 다짐하면서 감사한 일에 초점을 맞추며 살 것이다. 내가 좋아하는 일들로 일상을 채워나가며 그런대로 만족하는 생활로 다시 돌아갈 수 있을 것이다. 나만 당하는 일이 아니야, 나 자신을 위로하면서. 그러고는 아내를 생각하는 횟수가 조금씩 줄면서 웃기도 하고 행복한 순간도 느끼겠지. 아내의 잔소리 때문에 못 하던 일도 마음대로 할 수 있으니 그건 나쁘지 않네. 아내가 살아 있을 때는 하지 못했던 새로운 경험과 관계로 또 다른 나를 발견할 것이다.

그래도 선택할 수만 있다면 아내와 건강하게 살다 함께 떠나고 싶다. 항상 아내가 내 곁에 있어줄 것처럼 고마움도 모르고 살았는데, 아내가 갑자기 떠날 수도 있음을 이제야 생각하며 별별 상상을 다 해본다.

다시 돌아온 부부 중심의 생활

이제 아내와 단둘이 부부 중심의 생활로 돌아왔다. 결혼한 딸과 아들에게 왜 자주 안 오느냐는 얘기는 하지 않는다. 그들의 생활을 존중하기 때문이지만, 우리 둘만의 생활을 방해받고 싶지 않아서이기도 하다. 난 그저 입던 옷 입고 지내던 그대로 부담 없이 맞자고 해도 아내는 "어떻게 청소도 안 하고 입던 옷 그대로 아이들을 맞을 수 있느냐?"며 두 팔을 걷어붙인다. 그래서 굳이 집에서 차려 먹인다고 고생하지 말고 밖에서 맛있는 것 사 먹으며 즐거운 대화나 나누자고 의견을 모았다.

아내에게 손주 봐주고, 반찬 해준다고 애쓰지 말라고 했다. 딸아이도 아이는 당연히 자기가 키워야 하는 줄 알고 있어서 다행이다. 두 사람이 먹으면 얼마나 먹느냐고, 김치 담그느라 애쓰지 말고 김치도 사 먹자고 아내를 설득했다. 아이들 어릴 때부터 나는 가사 도우미 오는 것을 별로 좋아하지 않았다. 그래서 모든 일을 아내가 직접 했다. 지금은 필요하면 사람 불러서 도움을 받으라고 해도 굳이 그럴 필요가 없다는 아내다. 아내에게 편리한 가전제품을 사주는 것으로 내 할 일을 대신하고 있다.

강아지를 떠나보내고 아직도 다롱이를 그리워하는 아내를 아들이 애견 카페에 모시고 간다기에 극구 말렸다. 다시 강아지를 키우고 싶다는 아내가 강아지를 덜컥 사버릴까 두려워서였다. 강아지 때문에 아내가 다시 매이는 걸 원치 않는다. 아내와 단둘이 신혼을 즐기고 싶다. 양평 연구소의 이웃집에 체리라는 개가 있다. 얼마 전 아내가 "이웃집에서 우리 개를 키워준다고 생각하며 살자"고 해서 얼마나 반가웠는지 모른다. 우리가 먹이고 씻기고 산책시킬 필요도 없이 까까나 주면서 예뻐해주기만 하면 되니 말이다. 올해 아내의 회갑을 맞아 2박 3일 일본 여행을 다녀왔다. 단둘이 떠난 여행이 실로 얼마 만인지 모른다. 강아지와 아이들 때문에, 나의 일 때문에 둘만의 여행을 즐기지 못했다. 올해로 결혼 38년, 돌아 돌아서 다시 신혼을 맞았다.

부부만족도를 높이자

부부의 결혼만족도는 신혼 때 정점을 찍었다가 중년기부터는 계속 낮아지는 경향이 있다. 부부보다는 자녀와 일이 중심이 되는 때이기 때문이다. 그러다가 아이들 다 결혼시키고 노년으로 접어들면서 다시 부부만족도가 높아져 U자 곡선을 그린다는 것이 일반적인 연구 결과이다.

하지만 모든 사람이 노년기에 부부만족도가 높아지는 것은 아니다. 그동안에 부부 갈등이 심화되고 중간에서 완충 역할을 해줄 자녀들마저 결혼해버리면 사소한 일에도 다투고 냉전이 장기화되면서 불화가 심해진다. 게다가 건강까지 위협받고 경제적으로도 쪼들리면 부부 사이가 급속도로 황폐해진다. 노년기의 조화로운 부부관계는 마지막 삶의 질을 가장 크게 좌우하는 변수이다. 예전에는 막내의 결혼을 보지도 못하고 아버지가 먼저 세상을 떠나 노부부 둘이서 사는 기간이 지극히 짧았다. 하지만 요즘은 노부부가 함께 살아야 할 세월이 20~40년으로 늘어났다. 그러기에 원만한 부부관계를 위해서는 일찍부터 준비하고 노력해야 한다. 일과 가족 사이의 밸런스를 잃지 말고 돈 버는 일과 집안일, 아이 키우는 일 등의 역할을 지혜롭게 분담해야 한다. 부부 둘만의 시간을 따로 내어 취미 생활이나 운동을 함께 즐기는 연습을 게을리 하지 말아야 행복한 노후를 맞을 수 있다.

핵심가치
명확히 하기

마음의 평화, 건강, 가족

언제부턴가 나에겐 습관 하나가 생겼다. 새해가 되면 그리고 시간 날 때마다 나의 핵심가치가 무엇인지 되짚어보는 습관이다. 나에게 가장 소중한 것, 내가 가장 큰 가치를 두는 것이 무엇인지를 점검하곤 한다. 그 핵심가치가 내 삶의 길잡이가 돼주었다. 흔들리지 않는 나의 핵심가치 1호는 단연코 '마음의 평화'이다. 그다음이 '가족'과 '건강'이다. 가족 간에 다소 갈등이 있어도, 몸이 좀 아프고 약간의 장애가 있더라도, 마음의 평화를 유지할 수 있다면 가족이나 건강이 그다음이어도 좋다.

대교의 대표이사를 맡고 있을 때가 소위 가장 '잘나가는' 시절이었다. 그러나 조직을 위해 임원을 해고해야 할 때, 내 마음과는 달리 사람보다는 실적을 먼저 챙겨야 할 때 마음이 편치 않았다. 왠지 내가 소모당하고 있다는 느낌도 들었다. 가족과 함께하는 시간이 별로 없다는 것이 마음에 걸렸다. '이건 아닌데, 이게 아닌 것 같은데……' 그런 생각이 내 인생의 전환점을 찍게 했다. 사직서를 내고 2년 만에 가정경영연구소를 설립했다. 내가 평생 할 만한 일인지 3년만 해보고 결정하자는 마음가짐으로 시작한 일이었다. 그런데 1년 만에 평생 내가 해야 할 일로 결정했다.

MBC 〈일요일 일요일 밤에, 신동엽의 러브하우스〉를 시작으로 방송, 신문, 잡지 등 밀려드는 외부 활동 덕분에 또 한 번 주목을 받았다. 하지만 '가족'이라는 내 연구 주제와 맞지 않으면 어떤 직책도 맡지 않고 어떤 프로그램도 출연하지 않는다는 원칙을 지켰다. 비서나 기사를 다시 두어야 할 만큼 바쁘게 살지 않기, 정부의 프로젝트를 따거나 조직을 키우기 위해서 무리하지 않기, 내가 가진 자원으로 30~40년 후에도 이 일을 계속하기 등의 원칙에 충실했다. 그런데 예능 프로그램에서 나에게 반짝이 무대의상을 입히고 시청자를 웃기는 역할을 주문해왔다. 게스트는 PD의 주문에 협조해야 한다는 생각을 가지고 있었지만 마음이 점점 편치 않았다. 마침 경희대학교에서 겸임교수 제안이 와 방송을 그만두었다. 한 가지 일이 추가되면 한 가지 일을 내려놓는 것이 나의 원칙이기도 했지만 더 이상 분주하게 살고 싶지 않았다. '마음의 평화'라는 내 핵심가치와도 맞지 않았고 슬로우 라이프, 좀 느리게 살고 싶었다.

2011년, 한국사이버대학교의 부총장 자리를 제안받았을 때도 한사코 사양했다. 대학 경영을 해본 적이 없으며 다시 큰살림을 맡기에는 조직에서 떠난 지 오래돼 감각이 많이 둔해졌다는 이유에서였다. 하지만 계속 요청을 해와 다시 한번 도전하는 마음으로 학교생활을 시작했다. 직장인과 주부, 중년 학생들의 순수한 학구열에 감동하면서 열정으로 시작한 교수직은 숭실사이버대학교로 재단이 바뀌면서 그만두었다. 재단이 바뀌어도 정년까지는 무난하게 교수 생활을 할 수 있었지만 미련 없이 부총장직을 내려놓고 가정경영연구소로 돌아왔다. 학생들을 가르치고 만나는 일은 즐거웠다. 그러나 부총장이라는 보직을 맡고 보니 쌓이고 쌓인 학내 갈등을 풀기가 녹록지 않았을뿐더러 운영자금을 끌어오는 일과 논문을 써야 하는 부담도 만만치 않았다. 내 몸에 맞지 않는 옷을 입은 듯 마음이 불편했다. 마음의 평화를 다시 찾고 싶었다.

내려놓는 용기

대표이사와 부총장 자리를 내려놓은 것에 후회는 없다. 권력이나 직책, 부나 인기가 자신이 감당할 수 있는 선을 넘으면 끝이 아름답지 않다는 것을 안다. 모두들 조금 더 맡아달라고 할 때 자기 분수를 알고 그 자리를 떠나는 것이 아름답다. 왜 아직까지 그 자리를 지키고 있느냐고 눈총 주고 비난을 해도 다시 오지 않을 자리에 집착하다가 조직을 망치고 자신도 추락시키는 경우를 많이 보았다.

아내와 아이들은 내가 지나치게 '초긍정'이라고 지적하기도 하지만, 돌아보면 나는 어릴 때부터 매사에 감사하며 살아왔다. 수업료를 제때 못 내서 담임선생님이 집으로 돌려보낼 때도 부모님을 원망하지 않았다. 아버지 돌아가시고 어머니 혼자 하숙생을 받아 어렵게 살 때도 기죽지 않았다. 좋은 집은 아니어도 내 몸 하나 누일 수 있는 방이 있으니 얼마나 고마운 일이냐며 감사했다. 어머님이 싸주시는 도시락의 온기를 가방 너머 허벅지로 느끼며 "학교 다녀오겠습니다" 인사하고 학교에 가면서 '나는 얼마나 복 받은 놈이냐' 뿌듯해했었다.

양쪽 고관절 수술과 왼쪽 무릎 수술을 해보니 통증 없이 잠을 청할 수 있다는 게, 대소변을 불편 없이 볼 수 있다는 게 얼마나 큰 복인지 실감났다. 내 두 다리로 걸어 다닐 수 있고 음식을 내 입으로 먹을 수 있음이 얼마나 감사한 일인지 모른다. 치료를 받을 수 있고 병원에 입원했을 때 찾아와주는 가족이 있다는 것, 그리고 퇴원을 할 수 있다는 것이 또 얼마나 고마운 일인지도 절감했다. 어머니가 세상을 떠나시기 전 중환자실에서 고생하실 때 똑똑히 보았다. 무엇을 삼킬 수 있다는 것, 내 의지로 눈을 뜰 수 있다는 것조차 기적임을! 하늘을 날고 물 위를 걷는 것만 기적이 아니라 너무나 당연시했던 그 모든 것이 다 기적이다. 그렇게 마음을 내려놓고 눈을 조금만 돌려보면 감사한 일이 얼마나 많은지…….

소확행 즐기기

요즘 '소확행'이 유행하고 있다. 하지만 나는 일찍부터 소소한 일상에서 행복을 느끼며 살았다. 기뻐할 학, 가운데 중, 내 이름 석 자를 가지고도 '늘 기쁨 중에 있는 남자, 항상 기뻐하는 남자'라고 자기소개를 했었다. '그래도 그때가 참 행복했는데' 하며 행복을 과거형으로 회고하는 것이 아니라 늘 현재진행형으로 느끼며 살았다. 《하마터면 열심히 살 뻔했다》라는 책의 제목처럼 아등바등 너무 바쁘게 살지 말자는 것이 요즘 트렌드라고 한다. 하지만 나는 일찍부터 슬로우 라이프를 지향했기에 좀 느리고 여유 있게, 그러면서도 한결같이 자기 자리를 지키며 살아온 셈이다. 그리고 내 일을 위해 가족이 싫어하는 일은 하지 않는다. 언론에서 부부를 같이 인터뷰하자는 제의나 집에서 촬영하자는 제안도 정중하게 거절했다. 아내와 아이들이 불편해하기 때문이다.

고관절과 무릎 수술을 한 뒤론 달리기나 등산 같은 운동은 자제하고 있지만 건강에 큰 이상은 없으니 그것도 큰 복이다. 마음의 평화를 제1의 가치로 두고 사는 나는 정신적으로도 건강한, 행복한 사람이다.

자신의 핵심가치 정하기

2년 전 연구소를 양평 중미산 국립 휴양림 가까이로 옮겼다. 조그만 주택을 지어 연구소로 사용하고 있다. 연구소를 늘 자연 가까이에 두고 싶었던 소망 하나를 이룬 것이다. 국민대학교 산림학과 전영우 교수가 얘기하는 '임사林事', 숲과 함께하는 생활을 실천하며 살고 있다. 숲속이나 숲 가까이에서 조용히 자연을 벗 삼아 책 읽고 음악 감상하면서 차 마시는 일상을 꿈꾸었다. 조그만 텃밭을 가꾸면서 산책도 하고, 달과 별을 보며 명상도 하고, 맑은 공기와 따사로운 햇볕에 온갖 근심과 번민을 널어 말려도 보는 삶! 그러면서 책도 쓰고 반가운 벗이 찾아오면 막걸리도 한잔하는 그런 삶을 말이다. 그런데 그것이 현실이 되고 그런 생활을 아내도 함께 즐기고 있으니 무엇을 더 바라겠는가.

사는 것이 바빠서, 목구멍이 포도청이라는 이유로 자신의 핵심가치 따위는 사치라고 생각하며 사는 사람도 많다. 하지만 핵심가치는 불안정한 사회, 격변하는 시대일수록 자신을 붙들어주고 삶의 방향을 가리켜주는 길잡이가 된다. 마음속에 새긴 나의 표어가 되어 삶의 속도를 조절하면서 중심잡고 살 수 있도록 도와준다. 게다가 부부의 핵심가치가 다르지 않다면 오래도록 부부가 같은 방향을 바라보며 행복한 여행을 즐길 수 있을 것이다.

3
행복한 노후

노후를 위해 필요한 것들

행복한 노후를 위해서는 돈과 건강, 원만한 인간관계, 그리고 역할(일)이 필요하다. 돈이 많다고 꼭 행복한 것은 아니지만 기본적인 생활이 위협받을 정도면 행복한 노후를 기대하기 어렵다. 그러나 노후에 몇 억이 필요하고 최소한 한 달에 몇 백만 원은 있어야 한다며 지나치게 재무적인 측면만 강조하면서 불안감을 조장하는 데 휘말려서는 안 된다. 최소한 얼마가 필요한지 그 기준은 사는 형편에 따라 다를뿐더러, 설사 그 돈을 모았다 해도 안정적인 노후가 보장되는 것이 아니기 때문이다.

건강도 돈 못지않게 중요하다. 건강하지 않으면 경제활동에도 지장이 생기고 병원비와 간병비로 어려움을 겪는다. 오

랜 병수발로 부부나 가족 간에 갈등이 생기고 정신적인 건강
까지 위협받으면 노후가 불행해질 수 있다. 그러나 지나친 건
강염려증으로 이 병원 저 병원을 순례하면서 하루 일과를 온
통 병원 다니는 것으로 보낸다면 그 또한 행복한 삶은 아니다.

부부와 부모 자식과의 관계

원만한 인간관계는 행복한 노후를 위해 필수적이지만 그중에
서도 부부관계가 으뜸이다. 부부농사에 대해서는 2부에서 자
세히 다루었기 때문에 여기서는 장성한 자녀들과의 관계를
알아보자. 자녀들이 장성하면 한 사람의 성인으로서 존중해
주며 서로 돕고 지지해주는 관계로 발전시켜야 한다.

사위와 며느리를 맞으며 나도 장인과 시아버지가 되었다.
아직 자녀가 어린 사람들은 장인 역할, 시아버지 노릇까지는
생각하지 못할 것이다. 하지만 언젠가는 맡아야 할 역할이다.
사위나 며느리와의 관계가 원만하지 않으면 자녀들의 결혼
생활 역시 행복하기 어렵다. 자녀의 삶에 가장 큰 영향을 미
치는 사람이 부모이기 때문에 먼저 시아버지와 장인이 된 선
배들의 경험을 참고삼아 이 시대의 시아버지와 장인 역할에
대해 미리 공부해둘 필요가 있다.

어떤 인간관계에서도 한 가지 정답만 있는 것은 아니다. 하

지만 그 어떤 인간관계에서도 반드시 필요한 태도가 한 가지
있다. 상대를 있는 그대로 존중해주는 태도이다. 내 자식도
못마땅할 때가 있는데 사위와 며느리에게도 마음에 안 드는
점이 어찌 없겠는가. 그러나 가능하면 지적하고 나무라는 일
은 자제하는 게 좋다. 내 아들과 딸은 자신을 키워준 부모와
함께한 세월이 있기에 아픈 말도 소화가 되지만, 며느리나 사
위는 서운함만 오래 남아 오히려 얘기를 안 하느니만 못하다.
장점과 긍정적인 면에 초점을 맞추어 인정하고 격려해주면서
적당한 거리, 아름다운 거리를 유지하는 것이 최선이다.

할아버지라는 새로운 역할

자녀가 결혼하고 아이를 낳으면 할아버지라는 새로운 지위와
역할을 부여받는다. 정작 자기 아이들을 낳았을 때는 뭘 모르
다가 손자 손녀를 보면 '손주 바보'가 되는 할아버지들이 많
다. 하루가 다르게 성장하는 손주를 보면 신비 그 자체이며
놀라움의 연속이다. 손자녀를 만나고 보살피는 일로 삶의 활
력과 웃음을 되찾는다. 조금 거창하게는 가족의 역사와 생활
의 지혜를 전수해주고 인격적인 성장을 돕는다는 성취감과
보람이 크다.
　하지만 손자녀를 성별에 따라 차별하고 친손주, 외손주를

달리 대하거나 자신의 육아 방법을 고집하면 자녀와 갈등이 생기고 불화를 겪게 된다. 손자 손녀를 보고 싶은 욕심에 불쑥불쑥 찾아가거나 자주 오라고 압박감을 줘도 관계가 불편해진다. 사진이나 영상통화로 보고 싶은 마음을 달랠 줄도 알아야 한다. 손자녀의 부모가 아니라 할아버지라는 점을 명심하고 부모의 권리와 우선권을 존중하는 할아버지가 되자. 초등학교에 입학할 즈음만 되어도 제 부모보다 친구들과 어울리려고 하는데 커서도 할아버지 할머니를 계속 찾으리라는 기대는 무리이다. 그때는 또래 친구가 더 중요하다. 손자녀가 삶의 전부가 되어버리면 상처받기 쉽고 건강과 생활도 망가질 수 있다. 무엇이든 적당한 거리를 두고 독립적인 삶을 즐겨야 누구에게도 짐이 되지 않는다.

형제자매 관계

같은 부모 밑에서 성장한 형제자매라도 각자 자기 가정을 꾸리고 자식이 생기면 전처럼 자주 만나기 어렵다. 나이 들어서도 원만한 형제자매 관계를 유지하는 것은 큰 복이다. 비슷한 시기에 태어나 같은 부모 밑에서 자란 정과 공통의 추억은 노후의 소외감과 고독감 해소에 큰 도움이 된다. 끈끈한 유대감으로 서로 의지하는 것은 살아가는 데도 큰 힘을 준다. 이혼이나 사별, 독신으로 혼자 지내는 경우나 자녀가 어리고 사는 곳이 가까울수록 자주 만나게 된다. 사는 형편이 비슷하거나 공통 관심사가 많을수록, 서로 돕는 관계일수록 더 친밀해지는 경향이 있다. 자매들끼리는 잘 모이지만 남자들은 보통 그런 끈끈한 관계를 유지하지 못한다. 하지만 그것도 마음먹기 나름이다. 내가 먼저 연락하고 찾아가면서 형제끼리 친밀하게 지내는 것도 행복한 노후의 비결임을 잊지 말자.

역할 상실의 공백을 공부로 채우자

노후에는 역할 상실로 어려움을 겪는다. 수입이 따르는 일이나 직업을 갖는 것은 결코 쉬운 일이 아니다. 언젠간 은퇴를 하게 마련이고 설사 오너라고 해도 때가 되면 후계자에게 자리를 물려줘야 한다. 아버지로서의 역할도 자녀가 결혼을 하면 급격하게 축소되고 할아버지로서의 역할도 한계에 부닥친다. 이렇게 역할들을 상실하면 크게 위축되고 우울하게 사는 사람들이 많다. 그러나 그 후에도 20~30년을 더 사는 백세 시대가 되었으니 무언가 역할이 필요하다. 등산이나 낚시도 하루 이틀이고 바둑이나 당구도 가끔이지 24시간이 여가시간인 노년기에는 아무 일도 없이 긴 세월을 보내는 것이 고통이다.

그 긴 세월을 즐겁고 보람되게 보내는 방법 중의 하나가 공부이다. 공부라면 지긋지긋하다며 고개를 젓는 사람이 많다. 하지만 대학교에 가기 위해서 하는 공부가 공부의 다는 아니다. 이제는 정말 내가 배우고 싶은 것을 내 돈 내고 내 시간 들여서 배우는 기회를 가져보자. 공부가 이렇게 재밌는 줄 진작 알았다면 학교 다닐 때 우등생은 맡아놨을 거라는 농담들을 한다. 배우는 즐거움, 새로운 것을 깨닫는 기쁨을 우리는 너무 일찍 빼앗겨버렸다. 가까운 도서관이나 문화센터, 주민센터나 복지관, 사이버대학, 온라인 교육, 유튜브 등 배우고자 하는 마음만 있으면 큰돈 들이지 않고 배울 수 있는 곳이 천지에 널려 있다. 외국어나 역사, 노래, 악기, 스포츠 댄스, 요리, 글쓰기, 서예, 등산, 낚시, 텃밭 가꾸기 등 무엇이든 마음이 동하면 일단 도전부터 해보자. 급변하는 사회에서 소외되지 않고 적응력을 키울 수 있는 것이 공부이다. 젊은이들을 만나 세대차도 좁히고 새로운 친구와의 새로운 경험으로 새 세상을 맛보는 희열도 있다. 자기 성장을 통해 삶의 질을 향상시킬 수 있는 것이 공부이다.

봉사와 종교 활동

공부 못지않게 봉사활동도 특별한 의미가 있다. 누군가를 돕기 위해 시작한 봉사가 자신에게 더 많은 것을 선물했다는 얘기는 귀가 따갑게 들어보았을 것이다. 무료함과 외로움을 잊을 수 있는 장점도 있지만, 봉사는 무엇보다 내가 세상에 꼭 필요한 사람이라는 자부심과 자긍심, 성취감을 준다. 새로운 친구들이나 젊은 사람들과 어울려 바쁘고 즐겁게 사는 활력도 얻는다.

하지만 봉사는 젊어서부터 생활의 일부가 되어야 자녀들에게도 본보기가 된다. 몇 달 전 호스피스 교육을 받고 자원봉사를 신청했더니 나이가 많아서 안 된다고 했다. 목욕이나 대소변 치우기, 욕창 관리 같은 신체 돌봄까지 모든 것을 해야 하기 때문에 최소 만 60세 이전이어야 5년 정도 봉사할 수 있다는 것이다. 다른 기관에서 내가 할 수 있는 봉사를 알아보고는 있지만 마음 한구석이 조금 쓸쓸해지는 것은 어쩔 수가 없었다.

종교 활동도 권하고 싶다. 국내외 많은 연구를 통해 종교와 행복한 노년 간의 관련성이 확인되고 있다. 신앙심이 깊은 사람들이 심리적으로도 건강하며 위기나 시련을 지혜롭게 극복한다는 것이 공통된 연구 결과이다. 진정한 종교 활동은 죽음이 임박해도 두려워하지 않고 똑바로 직면하게 하는 힘을 주며 인생에 대한 의미와 가치를 생각하게 한다. 그리고 다양한 연령층과의 만남으로 고립에 빠지지 않게 하고 소속감도 준다. 따뜻한 상호작용으로 외로움도 덜고 지역사회와의 연결

고리를 통해 필요한 지원도 받을 수 있다.

가슴 설레는 꿈 가지기

마지막으로 노년에도 꿈을 잃지 말라는 당부를 꼭 하고 싶다. 생각만 해도 가슴 설레는 꿈, 그 꿈에 도전하는 마음만 잃지 않으면 청년이다. 참 감사하게도 나는 내 일의 평생 주제를 40대 중반에 찾았다. '가족', 더 정확하게 얘기하면 '가족문제 예방'이다. 내 건강만 허락하면 평생 할 수 있는 일을 찾은 것이다. 여건이 된다면 앞으로 2~3년에 한 권씩 책을 내고 싶다. 무엇보다 내 공부가 되고 삶의 내용이 정리되며 강의 자료, 방송 소재가 되기도 한다.

20년간 방송을 하고 있지만 '가족'을 주제로 하는 라디오 프로그램의 진행을 꼭 한 번 해보고 싶다. 패널이나 게스트가 아니라 진행자로서 말이다. TV보다 라디오를 고집하는 이유는 라디오가 훨씬 더 인간적인 매체이기 때문이다. TV는 영상으로 보이기 때문에 의상, 분장, 카메라 등 신경 쓸 게 많다. 그러나 라디오는 소리로 전달하는 매체여서 훨씬 더 편하고 자연스럽게 전달할 수 있다. 꾸미지 않고 있는 그대로를 보여주는 솔직함이 마음에 든다.

버킷리스트를 실행하자

요즘 죽기 전에 꼭 해보고 싶은 버킷리스트 얘기를 많이 한다. 살아생전 꼭 한 번 해보고 싶은 꿈의 리스트! 각자가 처한 상황이나 가치관, 삶의 신조나 좌우명, 해보고 싶었지만 어떤 이유로 하질 못하고 꾹꾹 눌러 담고 있었던 욕구에 따라 버킷리스트는 천차만별일 것이다. 나도 리스트를 작성해보니 단연코 여행이 많았다. 그동안 아이들 뒷바라지와 강아지 때문에 여행을 한사코 사양했던 아내와 단둘이 떠나는 여행은 생각만 해도 가슴 설렌다. 예전부터 생각해온 사막 여행과 시베리아 횡단, 남미 여행, 말 타고 몽골 누비기와 자동차로 미국 횡단하기, 히말라야 트레킹도 꼭 한 번 해보고 싶다.

내가 좋아하는 노래를 반주할 수 있을 만큼 기타를 치고 싶다는 오랜 소망에 다시 도전할 계획이다. 글쓰기 공부, 숲 탐방, 노래 공부, 연기 수업, 목공, 별 보기 등 열거하자면 끝이 없지만 우선순위를 정해서 하나씩 이뤄나갈 계획이다. 이제 네 살인 외손녀를 서점이나 음악회에도 데려가고 인형극이나 영화, 뮤지컬도 함께 보고 숲길도 함께 걷는 그날을 손꼽아 기다린다.

무엇을 정말 하고 싶은지 곰곰이 생각해봐도 잘 모를 때는 뭐든지 마음 가는 대로 해보면 된다. 옳고 그르고 좋고 나쁘고를 떠나 내 가슴이 뛰는 일이면 뭐든지 좋다. 남에게 피해를 주거나 이 사회가 용납하지 않는 일만 아니라면. 완벽한 준비가 되었을 때 하려고 하면 영원히 못 한다. 당장 할 수 있는 쉬운 일부터 시작해보면 내가 몰랐던 나의 욕구도 확인할 수 있다. 해본 것보다 해보지 못한 것에 미련이 남고 후회가 남는 법이다. 죽음의 그림자가 다가온 사람들의 버킷리스트를 보면 건강한 사람에게는 정말 아무것도 아닌 일들이 많다. 시원한 생맥주 한잔하기, 바다 구경하기, 가족과 맛있는 식사하기, 손자와 같이 놀이공원 가기, 잘 익은 수박 한쪽 먹기 등, 건강했을 때라면 너무나 쉬운 일들이다. 탐험가 존 고다드는 "꿈은 머리로 생각하는 게 아니라 가슴으로 느끼고 손으로 적고 발로 실천하는 것"이라고 했다. 미루고 미루다 나중에 후회하지 말고 하고 싶은 일은 지금 당장 해보자.

과거나 미래는 내가 어떻게 할 수 없다. 지금 이 순간만이 내가 뭔가를 할 수 있는 시간이다. 은퇴하고 나서 정말 하고 싶은 것을 하겠다는 패러다임은 이제 바꾸어야 한다. 내가 하고 싶은 것을 '지금', 그리고 할 수 있을 때까지 오래오래 천천히 즐기는 것이 행복 아닐까? 자신이 하고 싶은 일을 하면서 소소한 일상을 즐기다 보면 행복은 편안한 웃음처럼 찾아온다. 행복은 목적이 아니라 과정이며, 행복은 명사가 아니라 동사이다.

4

품위 있는
죽음

사전연명의료의향서

재작년, 14년간 키우던 다롱이를 양평 연구소의 배롱나무 옆
양지바른 곳에 묻어주며 아이들을 불렀다. 그리고 아내와 함
께 미리 작성해둔 사전연명의료의향서와 사전장례의향서를
보여주었다. 구두로는 수차례 얘기한 바 있지만 우리 뜻을 다
시 한번 확실하게 밝힐 필요가 있어 날을 잡은 것이다. 딸아
이와 아들은 당연히 불편해했고 어색해했다. 하지만 우리 부
부는 그것을 당연히 거쳐야 할 과정이라고 생각했다.

연명치료를 하지 말자고 하면, 어떤 사람은 어떻게 죽어가
는 사람을 치료도 안 하고 죽게 내버려 두느냐고 흥분한다.
하지만 '임종기'의 '의미 없는' 연명치료를 본인이나 가족의
동의하에 하지 말자는 얘기이다. 누군가 물에 빠졌다거나 갑

작스런 사고로 호흡이 곤란할 때는 당연히 심폐소생술을 해야 한다. 하지만 회복이 불가능한 임종기 환자에게 숨 쉬는 기간만 연장하는 것은 환자나 가족들을 고통스럽게 하고 경제적인 부담만 가중시킨다.

하지만 어느 자식이 부모 생전에 그런 얘기를 먼저 꺼낼 수 있겠는가. 그러기에 부모가 먼저, 정신이 맑고 판단력이 있을 때 분명한 의사를 문서로 남겨놓으면 쓸데없는 분란과 불행을 막을 수 있다. 그런 의사를 부모가 확실하게 밝혀도 그대로 실행하는 것이 불효인 것 같아 망설이는 자녀가 있다. 하물며 부모의 그런 뜻을 모르거나 짐작하기가 곤란할 때는 대부분 '못 할 짓'이라고 생각할 것이다.

'먼친척증후군'이라는 게 있다. 누군가의 죽음을 앞두고 평소에는 왕래도 없고 그다지 친분도 없던 친척들이 한마디씩 거드는 것이다.

"어떻게 자식이 돼서 불효막심하게 그런 짓을 하냐?"

"부모가 너희를 어떻게 키웠는데 그깟 돈 몇 푼이 아까워서 그러냐?"

하지만 그런 말에 휘둘릴 필요는 없다. 평소 부모님의 뜻에 따라 가족이 약속한 대로 실행에 옮기면 된다.

사전장례의향서

돌아가시는 분의 장례를 앞두고 가족끼리 장례 절차를 의논하다 다투는 일이 종종 있다. 그러다 과거의 상처와 앙금까지 들쑤시며 싸우기도 한다. 그것은 망자에 대한 도리도 아니고 건강한 가족의 모습도 아니다. 그래서 사전에 화장을 할 것인지 매장을 할 것인지, 관이나 수의, 염은 어떻게 할 것인지, 부의나 조문객 대접은 어떻게 할 것인지를 사전장례의향서 한 장에 명확하게 표시해두면 분란을 막을 수 있다.

5년 전 어머니가 돌아가셨다. 참으로 건강하시던 어머니였는데 넘어지면서 입은 상처가 악화돼 뇌경막하출혈로 돌아가셨다. 처음에는 93세 어머니에게 수술은 무리인 것 같아 입원을 시키고 지켜보았다. 그런데 5주가 지나도 차도가 없어 의사의 권유대로 수술을 할 수밖에 없었다. 하지만 몇 차례 수술을 하고 중환자실에서 치료를 했는데도 차도가 없어 퇴원을 시켰다. 마지막은 형님 집에서 맞으시게 했지만 중환자실에서 임종을 맞는 일은 없어야겠다는 생각을 했다. 기도삽관으로 인공호흡기를 부착하면 환자는 말도 못 하고 극심한 통증 때문에 계속 수면제를 투여받아야 한다. 가족들 면회도 제대로 안 되고 온갖 기계 소음과 가래 빼내는 소리, 환자들의 신음으로 흡사 길거리에 누워 있는 형국이다. 중환자실에서 회복되어 일반 병실로 옮기는 경우도 드물게 있지만 중환자실에서 임종을 맞는 것은 막아야 한다.

사전장례의향서나 사전연명의료의향서에 다 담을 수 없는 내용은 유언장을 통해 자신의 뜻을 분명하게 밝힐 수 있다.

죽음에도 준비가 필요하다

어머니를 떠나보낸 뒤 우리의 죽음에 대해서도 아내와 자주 얘기를 나눈다. 어떻게 죽어야 잘 죽는 것인지, 그리고 남아 있는 가족들을 위해 어떻게 해야 좋을지를 의논한다. 죽는다는 사실을 모르는 사람은 없다. 하지만 자신의 죽음은 애써 외면한다. 죽음에 대한 얘기를 불편해하고 금기시하면서 "왜 연초부터 죽는 얘기냐", "밥 먹는데 재수 없게 죽음 얘기냐" 며 핀잔을 준다. 그러나 죽음을 준비하자는 것은 죽음을 미화하거나 찬양하는 것도 아니고, 당장 죽을 준비를 하자는 것도 아니며, 죽음 체험을 해야 한다는 것도 아니다. 아무 생각 없이 살다가 죽음의 그림자가 서서히 다가오거나 느닷없이 죽음이 찾아오면 당황하고 절망한다. 그러니 내 죽음에 대해 사색하고 준비하는 과정을 통해서 삶을 돌아보고 성찰하자는 얘기이다.

내가 암이나 큰 병에 걸리면 있는 그대로 알려달라고 아내와 아이들에게 부탁했다. 환자의 알권리이기도 하거니와 남아 있는 기간에 내 삶을 정리할 수 있는 시간을 갖고 싶기 때문이다. 거짓말은 또 다른 거짓말을 낳게 되고 급기야 사실이 드러났을 때는 배신감으로 상황은 더욱 나빠진다.

의학이 많이 발달하기는 했지만 현대 의학으로도 도저히 어떻게 할 수 없는 병이 있다. 지나치게 치료에 매달려 돈과 시간만 낭비하지 말고, 남아 있는 시간을 어떻게 하면 더 의미 있고 즐겁게 보낼 것인가 고민해야 한다. 아직 죽지도 않았는데 가족이 온통 죽음만 생각하면서 모두 침울한 분위기에 빠질 필요는 없다. 단지 죽음을 받아들일 마음의 준비를 하자는 것이다.

몇 년 전 외사촌 형이 호스피스병원에서 세상을 떠났다. 형도 처음에는 "왜 나를 이런 병원에 보내느냐? 날 죽으러 가는 병원에 보내는 거냐?" 원망도 했지만 마지막은 편안하게 떠났다. 호스피스병원은 죽으러 가는 병원이 아니다. 남은 기간을 잘 정리하고 갈 수 있는 곳이다. 거기서는 조용히 모든 것을 내려놓을 수 있도록 환자와 가족들의 고통을 줄여주면서 의미 있는 시간들을 보낼 수 있게 도와준다.

나도 문상을 많이 다녀보았지만 고인이 누군지도 잘 모른 채 상주와의 관계 때문에 인사만 하고 가는 사람들을 보면 상투적인 절차가 안타까울 뿐이다. 상조회사에 맡기면 편리하기는 하지만 정작 고인에 대한 추모는 빠져 있고 형식적이기만 해서 그리 좋아 보이지 않는다. 임종을 앞두고 가까운 사람들을 불러 자신의 사전 장례식을 치른 사람도 있다지만, 마지막을 어디에서 어떻게 마감할지를 계획해보는 일은 반드시 필요하다. 그리고 사후에 여러 가지 문제들이 생기지 않도록 주변 정리를 잘 해두고 편안하게, 사랑하는 사람들과 인사를 나눈 후 세상을 떠나는 게 품위 있는 죽음이다.

나는 아이들에게 미리 얘기해두었다. 좋은 관이나 수의는 필요 없으니 종이 관에 평소 입던 옷을 입혀주고 화장을 해서 가까운 곳에 수목장을 해달라고. 그리고 아주 가까운 가족들 중심으로 조용히 장례를 치르되 조의금은 받지 말라고 당부했다. 이제 딸과 아들까지 결혼시키고 아내와 아직은 건강하게 살고 있으니 남은 인생에 그다지 미련은 없다. 영적인 성장을 목표로 이제는 다른 이들을 위해 봉사하는 삶을 살고 싶다. 그리고 '참 한결같았던 사람'으로 기억된다면 감사하겠다.

가족문제 예방센터

home21 **가정경영연구소**

이제 가정도 경영입니다.

2000년 1월 1일 출범한 가정경영연구소는

교육을 통해 가족문제를 예방하는 가족문제 예방센터입니다.

'경영' 하면 주로 기업경영을 떠올리지만 이제는 병원경영, 학교경영,

국가경영 등 모든 분야에서 경영마인드를 강조하고 있습니다.

기업의 생산성과 경쟁력을 확보하기 위해서는 조직원의 가정이 행복하고

가족이 화목해야 한다는 CEO들의 공감대가 확산되고 있습니다.

가족문제를 미리 예방하여 행복한 가정을 이 땅에 뿌리내리는 것이

저희 연구소의 목표입니다.

부부와 가족을 위한 각종 워크숍과 특강, 가정경영아카데미,

결혼준비 교육, 남편 수업을 통해 여러분의 고민을 해결해드립니다.

문의 전화 : 031-771-3748 홈페이지 : www.home21.co.kr

이메일 : home21home21@naver.com